すべてを味方
すべてが味方

小林正観
Seikan Kobayashi

三笠書房

もくじ

第三章 「心」も「体」も「魂」も元気になる〝得〟な生きかた

――競わない・比べない・争わない

第四章 目の前にいる人、すべてが大事
――友人、家族の絆がもっともっと深まる

はじめに　今よりもっともっと「うれしい・楽しい・幸せ」な人生になる本！

たとえば、林の中でキリン十頭とキリン十頭とが出会ったとします。するとどうなるか。同じ仲間として一緒の群れになったりします。シマウマも、ヤギも羊も同じです。草食動物の遺伝子には「同種のものは味方」という情報が書き込まれているからです。

一方、トラやピューマなどの肉食動物は、相手を追い払ったり、打撃を与えたりします。肉食動物はそういう性《さが》なので、仕方ありません。同種のものは敵。つまり常にライバルなのです。自分が生きていくためには、自分のテリトリーは命を懸けて守らねばならないという性を背負ってきたのです。

私たち日本人は、長い間、〝草食動物〟でした。

けれど、明治以降、欧米の生活様式が入ってきて、私たちの体は肉食型の食生活に影響を受けるようになりました。競うこと、比べること、争うこと、抜きんでること……無理やり闘う方向に変化させられていたかもしれません。

体と心にたくさん負担がかかったのでしょうか、江戸時代には少なかった病気がずいぶん増えてしまいました。

日本に古来からあったのは、目の前の人が全部「味方」だという考え方でした。だから「和」の国だったのです。

このあたりで、もとの日本に治すのはどうでしょう。「競わない」「比べない」「争わない」で生きる。「すべてを味方」にする。

「すべてを味方」にしようと思って生きていると、いつの間にか「すべてが味方」になっています。

この本ではそんな生き方について書いてみました。

小林正観

第一章

幸せは、すぐ目の前に〝山ほど〟あります

――たった〝三秒〟で、すべての悩みが解決する方法

念を入れて生きる

「自分に起こることは、すべて正しい」と思っていい

将来こうなったらどうしよう、ああなったらどうしよう、過去に違う選択をすればよかった……そんなふうに思いわずらう人は多いようです。

けれど、それはまったく無意味なことなのです。私たちにできるのはたったひとつ。

〈念を入れて生きる〉ということだけです。

〝念〟という文字を分解すると、「今」の「心」になります。

「今」の「心」とは、今、目の前にいる人、目の前にあることを大事にする心のこと。

「目の前にあることを一生懸命やりなさい」ということにほかなりません。それは、言葉を換えていえば「実践」ということです。

お釈迦さまも、「過去を追うな、終わってしまったことに縛られるな。まだ来てもいない未来にわずらわされるな。今というこの一瞬、今日というこの一日を大切にして生きよ」と、おっしゃっています。


過去を追わざれ、未来を願わざれ。およそ過ぎ去ったものは、すでに捨てられたのである。また、未来はいまだ到達していない。

そして、現在のことがらを動ずることなく了知《りょうち》した人は、その境地を増大せしめよ。ただ、今日まさになすべきことを熱心になせ。

だれか明日の死のあるを知ろう。

人生はすべて「宇宙のシナリオ」どおり

「人生に起こる不思議な現象、出来事には共通項がある」という、ものの見方をしていると、人生がかなり面白くなります。

私はこの共通項のことを「宇宙の法則」「宇宙の方程式」と呼んでいます。四十年かけてそういうものを集めてきた結果、今では二千個ぐらい私の手元にあります。

そのひとつに、どうも私たちは、**「自分の人生を、生まれるときから死ぬときまですべてこと細かにシナリオに書いて生まれてきたらしい」**というのがあります。

どういう親の元に生まれ、どういう職業を選び、どういう人と出会うのか、そういう細かいことまで書かれているのです。

人生のシナリオは、自分が用意して書いたものですから、自分にとって必ずよいようにしか書かれていません。

私たちは、命をきらめかせ、輝かせるようにプログラムして生まれてきたのです。

過去を悔やむことに、まったく意味はありません。全部、自分の書いたシナリオどおりに生きてきたわけですから。

未来を心配することも、まったく意味がありません。すべてはシナリオどおりに起きるので、どんなに〈私〉が手を打ったとしても、どうしようもないときは、どうしようもないようになっています。

でも、「それもこれもすべてベスト。シナリオどおりだ」とわかった瞬間に、人生が楽になります。

私たちは最高、最良の選択をして今ここにいるのです。

心がスーッと晴れる〝打ち出の小づち〟①――「諦める」

私は今も昔も、ガチガチの唯物論（すべての現象を「目に見えるもの・物質的」視点から規定していく理論）者ですが、〈人生は自分が書いたシナリオどおり〉ということを受け入れました。

何が起きても「もう好きなようにしてください」という状態で、流れをすべて受け入れるようにしています。

ある意味で〝諦めて〟しまったといえます。

〝諦める〟というのは、普段は悪い意味で使われていますが、〝あきらしめる〟

に通じ、これは宇宙構造を自分の心の中で明らかにすることを意味します。

宇宙構造が自分の中で〝明らかに〟把握できた瞬間を、〝諦める〟というわけです。仏教ではこれを〝諦観《ていかん》〟といいます。

笑顔は人も自分も〝助ける〟

「楽しみながら幸せ」になる方法

「悲しんでいる友人を助けたい。どうすればいいでしょう」という質問を受けたとき、私は、「あなたは本当に、その友人を助けてあげたいと思っているのですか？」と、まずお尋ねします。

本当にそう思うのなら、あなたが考えることは友人をどう元気づけるかではなく、〈これからあなたがどう生きるか〉だけです。

あなたは、私の本を読んでくださっているのですから、今日この瞬間から、どんなにつらいことやイヤなことがあっても、いつもニコニコ元気よく、楽しげに幸せに生きていけるはずです。

あなたの日々の生活を通して、あなたという存在を通して、毎日、うれしくて楽しくて仕方がないというあなたの姿をその友人に見せ続けていたら、友人はそんなあなたに最後には聞きたくなるでしょう。

「ねえ、どうしてあなたはそんなにいつも楽しくて幸せそうなの。いったいあなたは何をやってるの。何か悪い宗教でもやってるんじゃない？」

そのときには「いやー、実は宗教に入ってるのよね。〈ありがとう教〉っていうのをやってるのよね」という調子で答えてください。

その友人がわかってくれなくてもいいのです。

あなたがずーっとニコニコとうれしそうにしていたら、あなたがラクそうに楽しそうに生きていれば生きているほど、まわりの人はそれを真似するようになります。

でも、あなたがいくら一生懸命、心の勉強をしていても、本人がつらそうに苦しそうにしていたのでは、だれもあなたを真似しようとは思いません。

〝学ぶ〟という言葉は、もともと〝まねぶ〟からきています。真似をするという意味です。

友人があなたの真似をしたくなるくらい、あなたがよろこびそのもの、楽しさそのもの、幸せそのものになってしまうことです。

そのとき、悲しみ悩む友人はみな、それを〝まねび〟ます。そして、ついには悲しむ人がもうあなたのそばにはいない、ということに気がつくでしょう。

「自己嫌悪」は〝もっといい明日〟への道しるべ

私は、「五戒《ごかい》」ということをたびたび口にします。五戒とは、ただひたすら〈不平・不満、愚痴《ぐち》、泣き言、悪口、文句〉を口にしないということです。

これは目の前にある現象が〝イヤなもの〟ではなくて、実は、うれしさや楽しさ、幸せを内在しているものなのだと見抜く訓練です。

「不幸や悲劇は存在しない。そう思う心があるだけ」です。ですから、「どんなことも耐えてみせる」などと気合いを入れる必要はありません。

ただ、どんなことがやってきても、愚痴を言わない、泣き言を言わない、落ち込まない、相手を攻撃しない、非難しない、中傷しない。

すべてを「あー、これが私の人生なんだね」と受けとめて、笑顔で生きていくことが私たちの〝今生でのテーマ〟なのです。

そして、さらにもう一歩進んで、その人の口から出てくる言葉が、温かく明るくて、人を励まし力づけるものであれば、あなたは、さらにまわりから〈よろこばれる存在〉になるでしょう。

そのように言葉をコントロールし始めると、まわりの世界がどんどん変わっていって、自分自身が心地よくなります。これは「必ず～ねばならない」（べき論）ではなくて、そのほうが自分にとって楽しいから。それだけのことです。

〝決意〟など必要ありません。本人の意志とは関係なく、この話を読んでスイッチがカチッと入ってしまったら、もう始まります。読んだだけでいいのです。

もちろん、一瞬ですべてが変わるかというとそうではなく、明日から〝行きつ・戻りつ〟はします。〝行きつ・戻りつする〟というのは、どういうことかというと、「自己嫌悪」が生じるということです。

たとえば、これまでカッとすると思わず子どもに対して激しい言葉、厳しい言葉を投げかけたりしていた人も、これからはそんなとき自分の中に「自己嫌悪」が生じてきます。

自己嫌悪が生じたということは、昨日まで怒ったり怒鳴ったりを平気で行なっていた自分とは、全然違っているということです。

昨日までは自己嫌悪がなかったから、平気で「ああだこうだ」言っていられました。でも、自己嫌悪が生じたら、後はもう放っておけばいい。人間というのは、自分が心地よくて幸せなほうへ勝手に行きますから。

だから私は「決意をしなさい」などとは言いません。カチッとスイッチが入ったら、どんなに抵抗しても、自己嫌悪に勝つことはできません。

楽しさをよしとする、心地いいのがうれしいと思う人は、今すぐ五戒を実践するといいでしょう。

幸せもよろこびもいらないという人は、不平・不満を言い続けていても、それはそれでいいでしょう。

ただ、それを続けていれば、まわりの人はどんどん去っていきます。心ある人は全然寄って来ません。


〈うれしい〉〈楽しい〉〈幸せ〉という言葉に相応して、本当に心が温かく、優しくて、いつも幸せな笑顔に満ちている人が集まってきます。


「一つひとつの言葉を贈りものにすると、どんなに素敵だろう。もしかしたら人間関係も変わるかもしれない。だったら〝いい言葉〟をたくさん言ってみたい」などと思うようになります。

とにかくたくさんの〈いい言葉攻撃〉によって〈いい言葉の奇跡〉を見てみたい、そんな気持ちになったら、もう人生楽しくてしょうがなくなります。「ただひたすら楽しい」ということです。

そのときに、決意するとか、向上するとかは関係ありません。だってもう、スイッチは入ってしまったのですから。

縁起の法則

すべては人の「おかげさま」

お釈迦さまの最初の悟りといわれているものに、「縁《よ》りて起こる」すなわち〝縁起《えんぎ》の法則（理）〟があります。

この縁起の法則というのは、「すべての現象は、無数の原因（因）や条件（縁）が相互に関係し合って成立しているものであり、独立して存在するものではない。すべてのものはこの法則に従っている」というものです。

人間関係に置き換えると、「人は自分の人生を自分の思いでつくれると思っているがゆえに、苦しむ。人生は自分の思いでできあがっているのではなくて、自分の思い以外のまわりの人々のおかげで全部が成り立っている」とお釈迦さまは悟ったのです。

自分の人生をつくっているのは、自分ではない!?

私は四十年間いくつもの実証例を見つめ続けてきて、「自分の思いや自分の力で人生が成り立っているのではない」ということに関して、「a little」少しは関係しているとか、「little」ほとんど関係していないみたいだ、という話はしていましたが、お釈迦さまが言ったのは「not at all」でした。

「まったく関わっていない」と。

自分の人生をつくっているのは自分ではない。人は、自分の人生には一%も関わっていない、〇%だ。

〈私〉以外の神、仏、友人、知人、家族というものが私たちの人生を成り立たせてくださっているとしたら、〈私〉にできることは、〈私〉の人生を成り立たせてくださっている神、仏、友人、知人、家族に対して、ただひたすら感謝をするしかない、ということになります。

そこにしか、自分の人生に参加する方法がないということです。

たとえば、コップ一杯の水があって、これを私が飲もうとする。自分の意志でこの水を飲もうとしているけれども、このガラスのコップをつくってくれる人がいなければ、水をくむことはできません。

両手ですくって運ぼうとすれば、水はどんどんこぼれていって、飲むことができません。ガラスのコップのおかげで、どこでも水が飲めるのです。

そのガラスのコップがあるのも、珪砂《けいしゃ》というガラスの原材料をとってきてくださった方がいるわけです。

要するに、どんなことでも「自分だけでやっている」ことはない。コップをつくる人、ガラスをつくる人、材料をとってくる人……こういう人たちがいなくては、このコップの水は存在しないから、飲むことはできない、ということになります。

何よりもいちばん肝心なのは、水そのものも私たちが自分でつくったものではないということです。

雨が空から落ちてきて、それを飲むことで人は生命を維持することができている。

「私が自分の命を維持している」と〈私〉がどんなに頑張って主張しても、この水さえも自分でつくることができない。水が上から落ちてきて初めて、私たちは飲むことができ、生きていられるのです。

〈私〉の思いとか能力とかが、この水に関して何か参加していますか?

そういうことを考えていけば、「私の人生に、私はどこにも関わっていない」と確かに言えると思います。そう考えると、謙虚にならざるを得ないでしょう。

あなたにもついている「六人の守護者」

〈私〉たらしめてくださっている存在——神、仏、守護霊さま——この目に見えない三者と、〈私〉を取り囲んでいる人間関係——友人、知人、家族——この六者によって〈私〉の人生は成り立っているのです。

そうすると、〈私〉が自分の人生に参加できるのは、その六者に「私をいつも、何とかしてくださって、ありがとうございます」と、ただひたすら感謝する……。それしかないでしょう。他の存在の協力がなければ、何事も成り立っていかないのです。

現実問題として、周囲を取り巻くすべてのものに対して「ありがとう」と言える〈私〉になったら、たとえば、営業成績とか収入とかの三次元的な数字がどんどん上がっていくという事実があるようです。

常に応援してくれている味方に感謝の言葉を投げかけているのですから、その方たちだって、さらにやる気になって応援してくれます。自分ひとりで頑張っているときとは、全然違うようになります。

〈縁起の法則〉が本当かどうかわからない人にも、実践すればものすごいプラス効果があるようです。私たちが感謝すればするほど、まわりの人たちはもり立ててくれるので、実際にとても楽に生きられるようになります。これまで以上に、支えてくれることは事実のようです。

心がスーッと晴れる〝打ち出の小づち〟②——「人生の目的は?」

地位を失うことを意味する「失脚」という言葉は、「脚」を「失う」と書きますが、この日本語は大変重要なことを教えています。

今まで支えてくれていた「脚」を失った状態を、「失脚」と言っているのです。その人はそれまで、自分の努力でその地位まで上りつめ、自分の脚で立っていたと思っていたかもしれませんが、実はその人を支え、押し上げてくれていた者がいて、彼らから見放されてしまったというだけの話です。

したがって、「失脚」したときに、人間は〝人の間〟で生きているということを改めて思い知ると同時に、自分の実力ではなく、すべて「おかげさま」なのだ、ということに思い至るのです。

そして、物事の本質がわかっている人は、素直に人のお世話になることができるでしょう。自分ひとりの力なんて、たかが知れているということがわかってくると、人に甘えて生きることができるようになります。

人生という旅の途中で出会った人すべてを味方にしていくことが、人間の本質です。

反対に、お世話になった人への感謝を忘れていると、もう支援してもらえないどころか、敵をつくってしまうことになりかねません。

たとえ成功して自分の脚で歩いていけると思っても、それまでの恩を忘れておろそかにしてはなりません。

人生は味方をつくっていく作業であり、味方をどんどん増やしていくと、その後の人生もずっと豊かで楽しいものになっていくようです。

がんばらなくていい

幸せは、手に入れるではなく感じる

すべてのものが感謝の対象であるにもかかわらず、〝当たり前〟になりすぎて、感謝を忘れ、私たちは、幸せを感じなくなっているのかもしれません。

それどころか、幸せになるためには「あれもほしい。これも足りない」と言って、ずーっと何かを求め続けている人がいます。

幸せというのは、今、自分が置かれている日常そのものです。

何も起きないことがどれほど幸せであるか、ということに、私たちはなかなか気がつきません。毎日が、ただ淡々と平凡に過ぎていくことが、実は「幸せの本質」なのです。

幸せというのは、何か特別なことが起きることではありません。何も起きないことが幸せの絶対的な本質です。

幸せとは、いいことが起きるとか、楽しいことが起きるのではなくて、自分にとって、いわゆる面倒なこと、大変なこと、汗をかかなくてはいけないこと、神経を使わなくてはいけないことなどが、何も起きないこと。それこそが最大の奇跡なのです。

今、私たちは、日常生活そのものが幸せの塊という中で生きています。なのに、幸せの本質を知らないまま「どこかに幸せがあるに違いない」と思って、自分を叱咤激励し「もっと私が頑張って成長すれば、幸せが手に入るんだ」と思いながら生きています。

しかし、結論を言ってしまうと、**幸せは努力して手に入れるものではありません。**〈山の彼方の空遠く〉まで歩いて行って探すべきものでもありません。そんな必要はどこにもないのです。

幸せの〝本体〟というのが、どこかにあるのではなく、〈私〉が幸せと思うだけ。
そう思った瞬間に幸せが一〇〇％手に入ります。

〝幸福の海〟にどっぷりつかる

今、私たちは、幸せの本体、〝幸せの海〟の中でただひたすら生きているだけです。海の中に棲《す》む魚は、海の本体がどんなものかわからない。だから、海というものを見たいといつも思っています。

この魚がそう希望していると、神さまというのは限りない優しさをもっていますから、魚の望みを叶えるために海を見せてあげようとします。つまり、人間に釣り上げられるのです。

釣り上げられた魚は海を見下ろして「あー、海ってこういうものなのか。海は広くて大きくて、水平線があって、白い雲があってヨットが浮かんでいて素敵なものだなー」と思います。

たしかに〝海を見たい〟という望みは叶いましたが、海から出ているので呼吸ができなくて苦しい。

結局、釣り上げられている状態というのは、海は見えるけれども、同時に苦しい、つらい目にあっていることになります。これを言い換えると〝災難〟といいます。

魚が〈私〉で、釣り上げた人を〝神〟あるいは〝仏〟と置き換えます。海は〝幸せ〟そのものです。

人間は、病気や事故、トラブルなどに巻き込まれたときに初めて、自分の〝海＝幸せ〟が見えるのです。

たとえば、右ききの人が右手を捻挫《ねんざ》して使えなくなった、とします。文字が書けないとか、お箸がもてないとか、すごく不便で、不幸感を味わいます。

でも、捻挫が治って、右手が自由に使えるようになったら、「右手が使えるということは、こんなに幸せなことだったのか。右手さん、ありがとう」と、本当に心から感謝ができるでしょう。

昨日までは丈夫な手だった。二週間後に、右手が治って元の丈夫な手に戻った。では、右手が使えなかった二週間は不幸だったのでしょうか?

いいえ、不幸だと思っていたこの二週間があったおかげで、それから先ずっと死ぬまで、右手に対する感謝の心が湧いてくるようになったのです。

右手が自由に動くことで「ありがとう、うれしい」と思うよろこびをひとつ頂いたわけですから、この二週間は不幸でも何でもなかったということになります。


では、何のために右手が二週間使えなかったのでしょう。

罰が当たったとか、ペナルティーを課せられたとかそういうことではありません。

右手に対する感謝の心、よろこびの心をひとつ増やすために、何も起こらないことがどれほど幸せかということを知るために、右手を捻挫したのです。

そういう仕組みを理解し、今、すでに自分は〝幸せの海〟の中に棲んでいる魚だと認識すれば、災難とは無縁になります。自分が〝幸せの海〟の中で生きていることがわかってしまえば、もう「〝幸せの海〟を見せてくれー」と叫ぶことはないわけですから。


何も起こらない日常生活こそ、幸せそのものであることに気がついた人は、いつま

でも〝幸せの海〟の中にどっぷりつかっていられます。

ありがとうの不思議

また、もうひとつ別の考え方でいいますと、今現在、病気や事故やトラブルが起きていない状態というのは、実は「うれしい、楽しい、幸せ、愛してる、大好き」といったポジティブな言葉、それと「ありがとう」という感謝の気持ちがいつも私たちの身のまわりに満ちていた結果でもあるのです。

私は、超常現象、超能力を研究してきて、今いちばん面白いと感じているのが〈ありがとうの不思議〉というものです。

とにかく、心を込めなくてもいいから「ありがとう」を言い続け、それが二万五千回を超えると突然に涙が出てきます。

泣いて泣いて、涙が出尽くした後に言う「ありがとう」は、本当に心の底から感謝を込めての「ありがとう」になります。

その心の底から湧いてくる「ありがとう」の言葉をさらにもう二万五千回続けて、合計五万回の「ありがとう」を言い続けると、突然にある現象が始まるようです。

先ほど述べたように、宇宙には本来〝幸〟も〝不幸〟も、現象そのものとしては存在しません。そう思う心があるだけです。しかし、〈私〉が幸せで心地いいと思うことは存在します。その**〈私〉にとって、心地いいと思う、幸せだと思う現象が片っ端から起き始めます。**

自分が望んでいるわけでもなく、イメージしたわけでもないのに勝手に現象が起き始めるのです。

でも、気をつけていただきたいのは、最初の二万五千回を言う段階で、ある種の言葉を口にした瞬間「チーン」と音がして、カウンターがゼロになります。

ある種の言葉とは何か。

「不平・不満、愚痴、泣き言、悪口、文句」です。たとえ心が込もっていなくても、「ありがとう」と言えばいいのですが、その合間に、〝五戒〟を破った瞬間「チーン」という音がして、そこからは、またやり直し。

けれど、何十回、何百回やり直してでも、とりあえず二万五千回ぐらいに到達したときには、めちゃめちゃに涙が出るみたいです。

なぜ、涙が出てくるのかわかりませんが、本来、私たちの中には、すべてのことに感謝できる心が神によってすでにインプットされているようです。

目の前の人、友人、知人、家族が自分を支えてくれているというのがわかってくると、本当に心の底からこの人たち一人ひとりに手を合わせられるようになります。

そういう〈私〉になると、病気、事故、トラブルが起きないという、消極的なもの、いわゆるマイナス的な出来事が現われないだけではなくて、**ひとりの力ではどうにもならないような問題がいつのまにか解決してしまったり、これまで考えもしなかったような、楽しい世界が展開し始めたりします。**

人生を面白く生きるという意味で、この〈ありがとうの不思議〉を、死ぬまでにぜひ味わってみることをお勧めします。

現在・過去・未来……すべてを受け入れる

人間が「悟る」ためには、実は何十年もの修業は必要ありません。いちばん短くて〝三秒〟で「悟る」こともできます。

ここでいう「悟り」というのは、宗教的な「悟り」とは意味が少し違います。

宗教的な「悟り」というのは、各宗教、宗派、教団によって異なることでしょう。

私がここでいう「悟り」とは「腑に落ちる」こと、「自分で『なるほど』と、納得ができる」こと（現代では「腑に落ちる」より「腑に落ちない」という表現のほうが多く使われていますが……）。その方法は、とても単純なことです。

一秒目。過去のすべてを受け入れる。
二秒目。現在のすべてを受け入れる。
三秒目。未来のすべてを受け入れる。

受け入れることができたら、「恨む」こと、「憎む」こと、「呪う」こと（私はこれを「う・に・の感情」と呼びます）がなくなります。毎日ニコニコと過ごすことができるようになります。不平・不満がなくなり、流れに身を委《ゆだ》ねることができるようになると、結果として自分の使命や役割も見えてきます。

自分の生まれてきた意味が「腑に落ちる」のです。それはもしかすると、使命や役割を果たすような状況になった、ということかもしれません。

日常でできる「悟り」訓練法

けれど、この三秒の「悟り」は、頭で考えていてもなかなか実践できなかったり、身につかなかったりすることがあります。その場合に、もう一歩手前の、日常でできる訓練法があります。

「五戒」を守ることです。五戒とは、先に述べたように「不平・不満」を言わない、「愚痴」を言わない「泣き言」を言わない、「悪口」を言わない、「文句」を言わないということ。

この五つを口にしなくなって、三カ月（人によっては六カ月）ほど経つと、突然まわりから「あれをやってくれ」とか「こういうところに顔を出してくれ」と頼まれたり、たまたま無職であったりすると「こういう仕事があるのだけれど……」などの声がかかってきます。

そういうことに対して（明らかに「騙そう」としていたり、「金が儲かる」という話は拒否しますが、好意や善意の申し出に対しては）全部「受けて立つ」、「受け入れる」ようにします。

すると、それらを実践していくうちに**自分の使命や役割、自分がこの世に生まれてきたことの意味などがだんだんわかってきます。**

ただ、多くの人は、その「『五戒』を守ること」が大変難しい、と言います。

まわりからいろいろな声をかけられるようになるという「流れ」が始まってから、仮に二カ月半で、不平・不満を口に出してしまったとしましょう。そうすると、もうダメなのかというとそうではなく、口にした瞬間から、また三カ月間続ければよいのです。そういう意味で、宇宙は無限に寛大で、寛容といえます。

もし三日後に、不平・不満を口にしてしまったら、そこからまた新しいスタートとなります。一週間は続いたけれど、八日目に口に出してしまったら、そこからまたスタート。今度は十日間言わなかった、二週間言わないですんだ、今度は一カ月続いた、次は二カ月続いた……そういう形で、何度失敗しても、何度挫折してもかまいません。「五戒」を三カ月守り続ける、ということに十年かかろうと、二十年かかろうと、この「プログラム」は待ち続けています。

ただ「不平・不満」も「愚痴」も「泣き言」「悪口」「文句」も、それを**口に出して言えば言うほど、〝ネガティブな種〟を自分の身のまわりにまいている**ことに気がついてください。言った分だけ、それが自分を窮地に陥れます。

「悟り」というのは、それほど難しいものではありません。

まず、今日までの自分に起きたこと、目の前に現われた人などに対する不平・不満、愚痴、悪口を一切言わないこと。そして、それらがすべて自分の人格を向上させ、魂を磨くために必要であった、と思い感謝すること。

それがここでいう「悟り」であり、宇宙の意志と合致するすべてを味方にする方法なのです。

〝エモーショナル〟を棄てる

自分の中の潜在能力や、魂の本来の役割や使命というものに気がつくためには、「我欲」を取り去ることもまたひとつの方法です。

人は三秒で悟れる、という話をしてきました。我欲を捨てると、「悟り」に近くなります。

我欲とは、人より長生きしたいとか、病気をしたくない、金持ちになりたい、豪華な家に住みたい……というようなことです。

そういう希望や志をもつこと自体は、決して悪いことではないでしょう。生きる意欲や、やる気にもなります。しかし、それにこだわったり縛られたりすると、違うものになってきます。

そして、もうひとつ捨てるべきものがあります。「エモーショナル（emotional）」です。

簡単に日本語に訳すと「感情的な」という意味なのですが、ここでは肯定的な感情（うれしい、楽しいなど）を意味するものではなく、否定的な感情を指します。たとえば、腹が立つとか、イライラする、頭に来た、嫉妬する……など、本来はパンドラの箱の中にあったであろう、人間があまりもたないほうがいいと思われる感情です。

「『エモーショナル』を取り去りなさい」と言うと、必ずこう言う人がいます。

「『エモーショナル』でなかったら、人間的ではない。『エモーショナル』であることが人間的魅力なのだ」と。

こうした言い方は、どこかの文化人がテレビや雑誌などでよく使っていますから、どうもそういうものに引きずられているような気がします。

人間は「エモーショナル」でないと、魅力がなくなるのでしょうか。それについて少し考えてみましょう。

ＮＡＳＡ（アメリカ航空宇宙局）の宇宙飛行士は、毎日二時間ずつの訓練を二年間行なうそうです（延べ時間にすると、約千四百時間に及びます）。

その訓練の大半は、「トラブルをいかに解決するか」というものです。

たとえば、エンジンが停止したとか、耐熱タイルがはがれ落ちた、アームが動かない……など、さまざまなトラブルを起こさせ、宇宙飛行士がそれを一つひとつ解決していくという訓練です。

人間の精神というのは（よくできているというのか、できていないというのか、わかりませんが）、千時間を超えたあたりから、その人間の本質的な性格が出てくるといいます。どんなに我慢強い人でも、もともとが短気であるとか、すぐにイライラしたり、怒りっぽかったりする場合、千時間くらいまでは何とか我慢できるようですが、それ以上は無理なようです。

そしてついに、千四百時間の訓練を達成する前に、何か「感情的な」言葉を叫んでしまうらしいのです。

「こんちくしょう！」とか「何でこんな故障ばかり起こるんだ！」というような「感情的な」（エモーショナルな）言葉です。そして、そう叫んだ瞬間に、訓練の指導官は「あなたはもう帰っていいですよ」と言うそうです。

宇宙飛行士の候補者というのはみんな、優秀な頭脳のもち主ですから、技術や知識に大きな差はありません。最終的に重視するのは、訓練の過程において絶対に「エモーショナル」にならない人物であるかどうか、ということだそうです。

「エモーショナル」な部分をもっている人は、どんなにそれを自分の意志で押し込めようとしても、必ず出てしまうのだとか。

ですから、宇宙飛行士に選ばれた人というのは、「エモーショナル」を我慢して押し隠していられる人なのではなく、「エモーショナル」を感じない人、「エモーショナル」でない人であるようです。

では、今まで日本人で、宇宙飛行士に選ばれた人たちを考えてみます。毛利衛《もうりまもる》さん、向井千秋《むかいちあき》さん、それに若田光一《わかたこういち》さん、野口聡一《のぐちそういち》さん、星出彰彦《ほしであきひこ》さん……。この人たち

――「エモーショナル」でない人たち――が、魅力のない人なのかどうか。

それをよく考えてみると、「『エモーショナル』でなければ、人間的に魅力がない」という論理は、非常に乱暴であり、なおかつ間違った論理である、ということに気がつきます。

「エモーショナルである」ことが、人間の魅力をつくっているのではないのです。

「『エモーショナル』であることが人間的魅力だ」という論理に参加してしまうことは、自分にとって大変楽なことです。しかし、その論理に同調しないで、自分自身の「エモーショナル」を克服するほうが、**人間としての〝魂磨き〟になり、「楽に生きる」ことができるようになります。**

「エモーショナル」を克服することは、〝楽な生きかた〟をするために大変大事なことなのです。

第二章

困ったことが起こらなくなる宇宙の法則

——人は「よろこばれるため」に
生まれてきました

なしあわせ

神さまは、〝よろこび上手な人〟が大好き

自分から全然働きかけていないのに、向こうから勝手に、いい友人が近づいてくることはありません。

「運は動より生ず」です。

「愛すれば愛される。愛さなければ愛されない」「嫌えば嫌われる。嫌わなければ嫌われない」――**投げかけたものが返ってくる、というまったくそのとおりに宇宙の法理・法則が働いています。**

私は、人生を歩んでいく指針のひとつとして、「いつもよき友をもっていなさい」

ということをお話ししています。私たちが、この肉体を頂いているのは、〈よき友を得るため〉でもあるからです。

〈よき友〉とは、「この人によろこばれたい」と思う人のこと。

その人がよろこんでくれ、その人が笑顔になってくれることがうれしい、そうした関係を〈友〉といいます。

「友だちがほしいけれどできない」と言ってきた男性がいました。

そこで、私は彼にこういう質問をしてみました。

「では、この一年間に何通手紙を出しましたか」

「一通も書いていません」

「自分のほうから電話をしたことが何回ありますか。用事があるときは、もちろんいろいろなところにかけるわけですが、あえて用事をつくったりして知り合いにかけた電話は何回ありますか」

「一回もありません」

もし、友人がほしいと思うのであれば、暑中見舞いを出すとか、年賀状を出すとか、用事がなくても手紙を書いたり、メールや電話をしたりしてみることです。コミュニケーションを自分から保とうという努力をすると、友人ができます。

肝心なのは、〈よき友〉というのは一方通行ではなく、相互通行であるということ。すなわち〝為《な》し合う〟関係です。

相手の存在が自分のよろこびとなり、相手からも「あなたの友でいたい」と思われる関係です。

そんな友に出会って、その人から「ありがとう」とか「うれしい」とよろこばれたときに、人はこれ以上ないほどの幸せを体験します。

人によろこばれたときの〝よろこび〟は、自分がひとりよろこぶ〝よろこび〟とは比べられないほどの大きさです。

これを味わえるのが、「為し合わせ」です。

人の心の中には〝良心〟とか〝良識〟とか呼ばれるものが組み込まれていますが、お互いのことを深く思いやって、してあげ合う（為し合う）ことで、より幸せを感じるようにもプログラムされているようです。この「為し合わせ」が「幸せ（しあわせ）」

の語源になりました。

「真の友」と「友に似たもの」

原始仏教の経典《きょうてん》に「シンガーラへの教え」というものがあります。その中でお釈迦さまは、〈友〉について次のようにおっしゃっています。

次の四種は敵であって、友に似たものに過ぎない、と知るべきである。すなわち、①何でも取ってゆく人、②言葉だけの人、③甘言を語る人、④遊蕩《ゆうとう》の仲間は、敵であって、友に似たものにすぎない、と知るべきである。（『原始仏教』中村元編）

人に与えるときは少ないのに、もらうときはできるだけ多く得ようとしたり、自分の利益のみを追求するような人は、確かに「友」ではありません。

おべんちゃらを言って取り入る人、ことが目の前にせまると急に都合が悪いと逃げる人、陰で悪口を言う人も同様です。遊蕩の仲間が「友」でないことはもちろんです。

お釈迦さまは、心の込もった「友」について、このようにおっしゃっています。

これら四種類の友人は親友であると知るべきである。

すなわち、**①助けてくれる友、②苦しいときも楽しいときも一様に友である人、③ためを思って話してくれる友、④同情してくれる友**は親友であると知るべきである。

元気がないときに何かと面倒をみてくれ、困ったときに助けてくれる人は親友です。楽しいときだけの友ならいっぱいいますが、つらいときにも一緒にいてくれる友は多くはありません。

また、悪い道に入らないように忠告したり、新しい情報を教えてくれたりするのも、落ち目になったときに心配し、上り調子になったときには共によろこび、人が悪口を言ったら弁護してくれるのも親友です。

お釈迦さまは、〈友〉をこのように説き、続けて次のようにおっしゃっています。

その財を四分すべし。（そうすれば）かれは実に朋友を結束する。
一分の財をみずから享受すべし。
四分の二の財をもって仕事を営むべし。
また、（残りの）第四分を蓄積すべし。

要するに、稼いだ金の四分の一は自分で使ってもいいが、四分の二は仕事のために、後の四分の一は、貯金せよと言っています。

お金が必要な友に、いくら頑張れと口で言っても、どうしようもありません。きれいごとではなく、「友を助けるには現実にお金が必要なときがある。そのときのために蓄えよ」と説く、お釈迦さまの話はとても現実的です。

"心に灯り"をともし合う

私たちは〈友〉という概念を非常に狭い意味でとらえがちです。

〈友〉というものは、年代が近く、同じような趣味をもち、同じような音楽を聴き、同じような遊びに関心がある人、というふうに考えてきたように思います。

本来の〈友〉とは、遊び相手とか遊び仲間というようなものではなくて、**人生上の悩み・苦しみ・苦悩・煩悩を少しでも軽減してくれるような"気づき"を教えてくれる人**、のようです。

それは同時に、自分もそういう存在になることが、相手に〈よき友〉といわれる条件ということでもあります。

そのように教え合うこと、学びや気づきを知らせ合うこと、交歓《こうかん》し合うことが〈友〉というものなのです。

本質的な〈友〉という存在を認識するためには、「幸せ」というものも正しく認識する必要があります。

何度も言いますが、**「幸せ」とは「何かを得る」とか「ほしいと思っていたものを手に入れる」ことではなく、「今の自分が〈幸せ〉の中にいること、〈幸せ〉の中に存在していること」を知ること**です。

欲しいものを得たいとか、今以上に何かを得たいなど、自分の外に求めるものがあり、それが求められた、得られたことで「幸せ」を感じるならば、人生は実に苦悩に満ちたものでしかないでしょう。

思いどおりに得られるものなど、ほとんどないからです。

「得る」ことや、「手に入れる」ことを考えている間は、本当の「幸せ」を手に入れることはないように思います。

「得る」ための〈友〉ではなく、「認識する」ための〈友〉が真の友、というのがお釈迦さまのおっしゃる〈友〉であるようです。

「こんなことを感じた」「こんなふうに思った」ということを語り合うことで、重荷を降ろし、楽になり、生きることが楽しくなる。そういう仲間こそが、お釈迦さまが言う本当の〈友〉なのでしょう。

そう考えれば、**「何か教えてくれる人」、「その人のひと言、その人の気づきによって自分が楽になり、幸せになれる人」が、本質的な〈友〉である**ことがわかります。年齢が離れていようが、異性であろうが、関係ありません。

では、〈友〉と〈師〉はどう違うのかという疑問も生じます。「教えてくれる」のが〈友〉であるなら、〈師〉とはどう違うのか。

私が思うに、〈友〉と〈師〉の根源的な違いは、「一方通行」と「相互通行」の差ではないかと思うのです。互いに、「こんなことがわかった」「こんなことを知った」と教え合い、語り合うのが、多分〈友〉なのです。

お釈迦さまには、旅を共にしたアーナンダという弟子がいました。アーナンダからすれば確かにお釈迦さまは〈師〉でしたが、お釈迦さまは、アーナンダの何気ないひと言で多くを知り、あるいは気づき、悟りに至っていたのかもしれません。

その意味で、アーナンダは、お釈迦さまにとってかけがえのない〈よき友〉だったといえるでしょう。

世界でいちばん楽な修行

「徳の貯金」を積み立てる

「こんなラッキーなことがあったよ」という話を聞いたとき、人が示す反応はふたつあります。ひとつは嫉妬、ねたみ。もうひとつは、「よかったね」と一緒になってよろこび、祝福してあげる。

仏教に「随喜功徳《ずいきくどく》」という言葉があります。

人のよろこびや幸せをよろこんであげるだけで、徳を積むことになるという、いちばん簡単な徳積みです。仏教の修行の中で、もっとも楽なものでしょう。

ということは、自分のまわりに「今日はこんな楽しいことがあってね」という話ばかりしている友人がたくさんいる人は、ただひたすら「よかったね」と言っているだけで、「功徳」を積み重ねていけるわけです。

「小林正観と行く国内ツアー・海外ツアー」という企画が年に何度かあるのですが、その参加者はすでに私の講演を聴いたり、本を読んだりしてくださっている方々だけなので、不平・不満、愚痴、泣き言、悪口、文句を言う人がひとりもいません。日常の中にただよろこびだけをみつける訓練をしている人たちです。そのような「いい仲間」をもっていることが、人生にはとても重要です。

旅行の間は、みんなが集まると、「こんな素敵な景色を見た」「こんな面白いことがあった」という会話しかありません。

四、五十人の集団で、分乗する車も集合時間もほとんど行きあたりばったりの旅行です。ときには思いどおりにならないことや、予定外のことが当然起こります。しかし、だれも文句を言わないし、むしろ「予定どおりにいかなかったおかげで、かえって面白い体験ができた」という話になります。

普通、観光ツアーなどでは、添乗員さんに対して威張りたがる人や、自分勝手な行動をとる人、飛行機の時間が遅れれば苦情を言う人が必ずいるものですが、そういう人は、まったくいません。

常にそういう「いい仲間」と行動を共にしていると、「よかったね」とよろこび合うことの連続です。それだけで猛烈に「功徳」を積んでいるわけですから、こんなに素晴らしいことはありません。

そう考えると、いい旅とは、どこへ行くかではなく、だれと行くかによって決まることがわかります。

「いい仲間」に囲まれていれば、どこへ行っても楽しいし、また同時に、「特別にどこかへ行かなくても楽しい」のです。「どこかへ行くから楽しい」のではなくて、「どんなところでもいい」ということです。

「旅」を「人生」に置き換えても同じこと。**よろこび合える人間関係に囲まれて人生を歩んでいけるならば、台所でタクアンを切っているだけで、充分に幸せを感じられるようになります。**

「淡々と生きる」――〃無味〃を味わう

一緒に旅をしたりする仲間もいいものですが、ある年齢に達すると、「茶飲み友だち」という関係が出てきます。

「もうこの歳になると、色気も何もあったもんじゃなくて、単なる茶飲み友だちですよ」などと、老境に入った男女の関係や、年老いてから結ばれた夫婦のことを指していう言葉で、人生の終末を感じさせる言葉でもあります。

先日、その「茶飲み友だち」について実に面白い文章に出合いました。安岡正篤《やすおかまさひろ》さんの『安岡正篤とその弟子』という本です。

安岡正篤さんという方は、日本における陽明学《ようめいがく》の権威で、終戦の詔書《しょうしょ》の草案に加筆するなど政財界に強い影響力をもち、「平成」の元号を考案したともいわれています。

安岡さんによれば、茶を淹《い》れるときは、なるべくいいお茶を選び、それをほどよい湯加減で煎じることが大事だということはもちろん、まず、第一煎で茶の中に含まれている糖分、すなわち甘味を出し、第二煎で苦味を味わい、そうして最後の第三煎で茶の渋味を味わうものだということです。

この甘味、苦味、渋味を人間にあてはめると、人間いい歳をしていつまでも甘いだけではダメで、苦味がわかり、更に渋味が出てこないといけない。それを知るのが本当の茶道というものだ、と述べています。

ここまではだれにでもわかることですが、安岡さんのすごいところはここからです。「然し甘いとか、苦い、渋いと言っている間はまだまだ本物ではないのでありまして、これをもっとつきつめると、もう甘い、苦い、渋いというようなものではなくなって、無の味になります。

そういうことを詳しく説いておるのが専ら老荘（老子・荘子）でありまして、老荘ではこの味の至れるものを無味と申しております。それではこの無味の味をもった現実に存するものは何かというと、いうまでもなく水であります。これを『淡』ともうします。淡は火にかけて極めるという意味であります。甘いとも苦いとも何ともいえない味が無の味であり、淡であります。論語の『君子の交わりは淡として水の如し』

というのは、単なる水臭いつき合いというような意味ではないのであります。（中略）

そこで、人間がお互いに人生の至れる味をしみじみと話し合う、というのが茶話の本義であります。夫婦が長い間一緒に苦労をして、漸く人生の醍醐味、世の中のことや人間の至極の話をしんみりとし合えるわけであります」

「淡々と生きる」という言葉がありますが、淡という語には、甘味、苦味、渋味を超えた無味の境地という意味があったというわけです。

老夫婦が日なたぼっこをしながら、人生を振り返り、一服の茶を飲む。何ておだやかな風景でしょう。

「淡」の境地を味わえる「茶飲み友だち」を目指したいものです。

和顔愛語

問題を「徳」で解決する方法

「和顔愛語」の「愛語」の文字を見て、「愛護」の間違いではないか、と思った方もおられるかもしれません。

動物や植物を守る、大事にする、自然を破壊しない、という意味での「愛護」「愛護の精神」はよく聞かれる言葉ですが、「愛語」のほうは、あまりなじみのある言葉とはいえないでしょう。

「愛語」というのは、優しい言葉をかけることで、道元《どうげん》禅師は『正法眼蔵《しょうほうげんぞう》』の中で次のように説いています。

愛語というは、衆生をみるにまづ慈悲の心をおこし、顧愛の言葉をほどこすなり。

おおよそ暴悪の言語なきなり。

世俗には安否をとう礼儀あり、仏道には珍重のことばあり、不審の孝行あり。

慈念衆生猶如赤子（衆生を慈念することなお赤子のごとし）のおもいをたくはへて言語するは愛語なり。

徳あるはほむべし、徳なきはあはれむべし。

愛語をこのむよりは、やうやく愛語を増長するなり。

しかあれば、ひごろしられずみえざる愛語も現前するなり。

現在の身命の存するあいだ、好んで愛語すべし。世世生生にも不退転ならん。

怨敵を降伏し、君子を和睦ならしむること、愛語を根本とするなり。

むかいて愛語をきくは、おもてをよろこばしめ、こころをたのしくす。

むかはずして愛護をきくは、肝に銘じ、魂に銘ず。

しるべし、愛語は愛心よりおこる、愛心は慈心を種子とせり。

愛語よく廻転のちからあることを学すべきなり。

他人に対して慈愛の心を起こすことが愛語の根本です。優しい言葉をかけているときは、当然のことながら、ひどい言葉は使いません。

世間には「お元気ですか」などと安否を問う礼儀があり、仏道には、「お大事に」などの自愛を勧める言葉があり、また目上の人に「ご機嫌いかがですか」とうかがう礼儀があります。

他人に対して優しい気持ちになるのは、母親が自分の赤ちゃんに接するのと同じようなもので、母親が子にするように優しい言葉をかけるのが愛語というものです。いいところはほめ、悪いところのある人には温かい心で接しなさい。お互いが友になるには、自分も相手も優しい気持ちになれるように、優しい言葉をかけることが大切です。

相手が直接優しい言葉をかけてくれると、自分の顔も心も優しくなります。その言葉を人づてに聞いても決して忘れません。

愛語は愛する心から起こるのであり、愛する心というのは慈しみの心を種としています。

そして愛語には、天を逆に廻転させるほどの力があるのです。

「いい言葉」は最高の贈りもの

良寛《りようかん》和尚はこの「愛語」を、常に心がけていたそうです。「愛語」について自ら書き記したものが現在も残っています。

良寛和尚は越後《えちご》の国（新潟県・出雲崎）に生まれ、現在の倉敷市南部にある円通寺などで修行し、生地に帰って、平和にのどかに暮らした僧侶です。

生きとし生けるもののすべてを大事にし、子どもたちと楽しく毎日を過ごした「良寛さん」としても有名です。蚊よけである蚊帳《かや》の中に寝ながら、手足を出して、「蚊にも愛」（手足を蚊に刺させる、血を吸わせる）を実践していたというのですから、その「生きとし生けるもの」に対する愛は、半端なものではありませんでした。

良寛さんの「愛語の心」とは次のようなものです。

自分は貧しいひとりの修行僧なので、人に与えるもの、あげるものが何もない。

だから せめて心を温かくするような、心を安らげるような〝言葉〟をあげたい。

それならいくらでもあげることができるから。

良寛さんは、自分の口から出てくる言葉を常に「温かい言葉」「優しい言葉」「思いやりに満ちた言葉」にしたいと思っていました。

「良寛さん」が優しい人であり、蚊も殺さない人であり、子どもたちと笑顔で暮らした人である（それこそ実践であり修行であったのでしょうが）というようなことは私も知っていましたが、「愛語の人」であったことは、ある大学教授と話していて初めて教えられたことでした。

敵がひとりもいなくなる

良寛さんには、次のようなエピソードもあります。

良寛さんが子どもたちや村人から慕われているのを、快く思わない人がいました。

その人は渡し舟の船頭でした。

小さいころからひねくれ者で嫌われ者だったその船頭は、良寛さんをねたみ、「もしこの舟に良寛がひとりで乗ってきたら、舟を揺らして良寛を落としてしまおう」と思っていました。

その機会がやってきたとき、船頭は舟を川の中央まで漕《こ》ぎ出すと、舟を揺らして良寛さんを川に落としてしまったのです。

良寛さんが川の水を飲み、死にかけたのを見てうっぷんが晴れたのか、船頭は良寛さんのえり首をつかんで舟に引き上げました。

水を吐いたり、呼吸を整えたりして、やっと言葉を発せられるようになった良寛さんは、口を開いて、こう言ったそうです。


「あなたは命の恩人だ。私は生涯あなたのご恩を忘れない。助けてくれてありがとう」

その言葉の中に、舟を揺らして落とした船頭に対する非難・中傷・攻撃の言葉は、ひと言もありませんでした。

良寛さんは先にも述べたように「愛語」をいつも心がけている人でした。

自分は貧しい僧であるから、贈りものをしたくても何も贈れない。金も物も贈ることはできないが、せめて言葉だけでも、〝贈りもの〟にしよう。自分の口から出てくる言葉は、常に、人を温かくするもの、明るくするもの、安らげるもの、元気にするもの、勇気づけるもの、励ますもの、力づけるものでありたい……。

そのときも「口から出てくる言葉」は、お礼と感謝の言葉だけでした。

船頭は、心の底から自分の非を悔いたそうです。こんな素晴らしい人にどうしてこんなひどいことをしてしまったのだろう、と。

そして、そのときから真人間になることを誓ったのでした。

実際、この船頭は以後、村人からとても好かれ、信頼される人になって生涯を終えたということです。

私たちは、「相手を〝変える〟ためには説得し、ディベート（討論）をし、論理的に屈服させ、自分の意見を通すことが正しい」という教育を受けてきました。

そういう方法を、「西洋的解決法」と呼ぶなら、良寛さんの方法は「東洋的解決法」

にほかなりません。

問題に直面したとき、そこには常に、ふたつの解決法が存在するように思います。その問題を、相手を説得したり環境や状況を変えたりと「努力」で解決する方法と、〈私〉の中に存在する「徳」で解決する方法と。

さらに考えてみると、「ふたつの解決法」と言いましたが、本当の解決法はひとつしかないのかもしれません。

それは、「西洋的解決法」が敵をつくり、恨みや憎しみを残すからです。一方、「徳」による解決は、恨みを残すどころか、相手を味方にしてしまうという、根源的、根本的、本質的解決法と思えます。

心がスーッと晴れる〝打ち出の小づち〟③――「芳香を放つ花の種」

良寛さんの「愛語」のことを聞いて、私自身も目を開かされる思いでした。

自分の口から発する言葉のすべてが、「人に元気を与え」「勇気を与え」「安らぎを与える」ものであり、「励まし」「温かく」「優しく」「思いやりに満ち」、「よろこび」や「幸せ」を感じさせるものであるか、と自らに問い直しました。

「不平・不満」「愚痴」「泣き言」「悪口」「文句」を言うと、悪臭を放つ〝ネガティブ〟という名の花の種をまいているのだ、と言ってきましたが、さらに一歩進んで、自分の口から発せられる言葉をすべて「温かいもの」「勇気づけるもの」「安らげるもの」にできたら、と思うのです。

それらの言葉は、「芳香を放つ花の種」となるのでしょう。

〝悪臭〟の中に生きるか、〝芳香〟の中に生きるかとなれば、後者のほうが楽しそうです。

常に、人に対する「愛語」を考えるだけでも、生活が変わってくるような気がします。

たて糸とよこ糸の法則

人生を〝好転させるスイッチ〟の入れ方

有名な「般若心経」を含めて、いわゆる仏教の教えであるお経には「経《きょう》」「律《りつ》」「論《ろん》」の三種類があります。

「経」は、お釈迦さまの口から直接説かれた教えをまとめたもので、阿含《あごん》ともいいます。形式は通常、〝如是我聞《にょぜがもん》〟という言葉から始まり、〝信受奉行《しんじゅぶぎょう》〟で終わります。

〝如是我聞（かくのごとく我聞けり）〟というのは、「私は（お釈迦さまが言われたことを）こういうふうに聞きました」ということです。

また、〝信受奉行〟は、「私はこの教えを信じ、受け取り、実行します」という意味です。

お釈迦さまは、実は、自分では一冊も本を書いていません。お経はすべて、「聞いた話」ということになりますが、これはキリスト教における「聖書」も同じです。「律」は、教団の規則を集めたもの、そして「論」は、弟子や後の人が「経」や「律」に関して解説したものです。

さて、お釈迦さまの教えをまとめたものが「経」ですが、「経」という文字は、「たて糸」という意味です。

たとえば地球上での位置を表わすときに、経度《けいど》、緯度《いど》を使いますが、それぞれたて、よこを表わしています。「経」と「緯」でワンセットなのです。

サンスクリット語やパーリ語の原典から漢字に翻訳する際、玄奘三蔵を始めとする中国の僧たちはお釈迦さまの言葉を表わす文字に、なぜこの「たて糸」という意味の「経」を当てたのでしょうか？

それは「経」（たて糸）に対応する「緯」（よこ糸）が存在しなければ、何の意味もないということを、知っていたからではないでしょうか。

いくら「教え」という「たて糸」があっても、それに伴う「実践」という「よこ糸」

がなければ布は完成しません。

お釈迦さまは「こうすると人生が楽しくなる」ということを教えてくれたけれど、それ自体では形にならないということを、後世に伝えたかったのだと思います。

「経」は「たて糸」でしかなく、「よこ糸」に相当する〝日々の実践〟がなければ、まったく役に立たないのです。

お釈迦さまが最後の弟子に語ったこと

お釈迦さまが、クシナガラという町にやって来たときのことです。お釈迦さまは食事に当たって病が重くなり横になっていました。そこへ、スバッダという遍歴行者が、「今夜お釈迦さまが亡くなってしまうらしい」と噂を聞いてやって来ました。

スバッダは、弟子のアーナンダに「どうしても解決できない問題があるのだが、お釈迦さまなら真理を解き明かしてくれるのではないかと思う。何とか会わせてもらえないだろうか」と頼みました。

アーナンダは「先生はとても疲れていて、お会いできません」と、スバッダの頼みを断りました。スバッダは三回も頼みましたが、ダメでした。

このやりとりを耳にしたお釈迦さまは、「中に入って来て何でも聞け」とスバッダを招じ入れました。

スバッダはお釈迦さまに次のように質問しました。

「世の中には、開祖といわれ、非常に尊敬されている人たちがいますが、彼らはすべて、本当に自分で真理をつかんで悟ったと言っているのでしょうか？　あるいはだれも悟ってはいないのでしょうか？　それとも、ある人は悟り、ある人は悟っていないのですか？」

お釈迦さまは、次のように答えました。

「スバッダよ。だれが悟って、だれが悟っていないかなどということは大したことではない。そんなことより大切なことがある。どんな立派な教えや戒律を説いても、八つの聖なる道（八聖道）という実践がなければ、道の人（解脱《げだつ》を求めて修行に励む人）ではない。内容のない空虚な論議など道の人には無縁のものだ」と。

八聖道というのは、修行に当たってとるべき基本的な態度のことで、正しい見解

（正見）・正しい思惟《しい》（正思惟）・正しい言葉（正語）・正しい行ない（正業）・正しい生活（正命）・正しい努力（正精進）・正しい思念（正念）・正しい瞑想（正定）のことです。

お釈迦さまは、スバッダに対して、どんなに立派なことを言ったとしても、実践しなければ意味がないということを教えたのです。

夢も希望もない暮らし

たて糸とよこ糸の両方がなければ、形になりません。

お釈迦さまは、「言葉」すなわち「たて糸」に対して、「よこ糸」となる「実践」を私たちが自分で織り込んでいかなければ、何の役にも立たないということを、人々に伝えたかった。それで翻訳者たちは「経」という文字を使ったのだと思います。

私は、**「よこ糸」となる「実践」の中身として最たるものが、「掃除」「笑い」「感謝」**

の三つだと考えています。私は、これらの頭文字を取って「そ・わ・かの法則」と名づけました。

どんなにいろいろな才能をもっていても、掃除が嫌いな人は、経済的には楽にならないようです。

他人の五倍も十倍も頑張って、努力していても、笑わない人を神さまは応援しないらしい。

そして、自分の力ですべての物事をやっていると思っている人は、人生の中で「感謝」が足りないので、いろいろなことが大変になるようです。

この「そ・わ・か」を実践し始めた人が、私のまわりには何千人といるのですが、実践をし続けて三カ月から半年ほど経つと、みんな同じようなことを言うようになります。

「夢も希望もない暮らしをしています」と。

「夢と希望に満ちあふれた生活」とは、「まだまだ」「もっともっと」「あれも足りない」「これも足りない」と言い続けて、いつまでも満足できないという生活なのではないでしょうか。

一方、「夢も希望もない暮らし」は、すべてのことに満足し、感謝に満ちた暮らしという意味で、究極の幸せな人生だと思うのです。

「そ・わ・か」をやっていると、いろんな現象が次から次へと起こり始めます。そして、

「あー、自分は恵まれている」

と実感できるようになります。これは実践してみればわかることですが、やらない人には現象が身のまわりに起きないのでいつまでもわかりません。

いちばん変わるのは人間関係です。出会う人すべてが、笑顔の素敵な人ばかりで、生涯の友人になります。

心がスーッと晴れる〝打ち出の小づち〟④——「〝実践〟的に生きる」

聖書や仏典などの本を三日間読めば、だれでもキリストやお釈迦さまと同じことを話せるようになります。しかし、だからといってその人が、キリストやお釈

迎さまと同じように周囲から尊敬されることはありません。

それは、「実践」をしていないからです。

みんながその人の話を聞くようになるかどうかは、話が立派かどうかではありません。人が耳を傾ける理由は、その人が、本当に「そう生きているか」どうかだけです。

そして、本質的なことがわかっていて、実践的に生きている人というのは、〝自分の意見〟なんて、ああだこうだと言わないものらしい。

たとえば、吉田《よしだ》松陰《しょういん》は自身が主宰する松下村塾でも塾生や目下の者に対して怒ったり怒鳴ったりしたことは一度もなく、呼び捨てにせずみんなを「さん」付けで呼んだそうです。

いくら能書きが立派でも、家族や部下やまわりの人に対するときの態度に、その人のレベルがおのずと表われています。

実践の人

座禅も説教もしない、良寛さんの兄弟子和尚

ある年の正月、たまたま縁があって、玉島《たましま》（現在の倉敷市《くらしき》）の円通寺を訪れることになりました。円通寺は新幹線の新倉敷駅から四キロほどのところにある曹洞宗《そうとうしゅう》（禅宗）のお寺で、新潟出身の良寛さんがここで修行をしたことで有名です。

現在、この円通寺で住職をしておられるのは、仁保哲明《にほてつめい》さんという方です。お寺を訪れたとき、この方の笑顔が素晴らしいので私は魅了されました。良寛さんもこのような優しい笑顔の持ち主であったかもしれないと思いました。

良寛さんがこの寺にいたとき、兄弟子に仙桂《せんけい》和尚という方がおられたそうです。あ

まり詳しく記録が残っている方ではないのですが、良寛さんには大変に印象的な人物だったようです。

仙桂和尚は三十年の間、良寛さんの師でもある国仙《こくせん》和尚のもとで修行をしながら、一度も座禅を組んだことも、檀家の人たちに仏法上のお説教をしたこともないという大変珍しい僧侶でした。

この和尚は典座《てんざ》という食事の世話をする係で、三十年間、来る日も来る日も黙々と畑をたがやして野菜を育て、食事をつくり続けていたといいます。それだけをやり続けた僧侶でした。

ふたりの師である国仙和尚は、仙桂さんに対し、「もっと違う活動をしろ」と言うようなこともなく温かい目で見守ったといいます。この仙桂和尚の生き方に良寛さんはかなり影響を受けたらしいのです。

後に仙桂和尚のことを書いた記述の中で、「この仙桂和尚こそ、真の道者である」と良寛さんは書き記しています。ただ、「自分は仙桂和尚と共に過ごしているときに、この人のすごさ、深さがわからなかった、未熟だった」ということも書いています。

後に生まれ故郷の出雲崎に帰った良寛さんは、頼まれれば浄土宗の念仏である南無阿弥陀仏も日蓮宗のお題目である南無妙法蓮華経も唱えたそうです。

良寛さんの学んだ円通寺は曹洞宗のお寺ですが、宗派などということはどうでもよいことでした。お経をあげないことも仏教上の説話や説法をしないことも多々ありました。良寛さんにとっての精神的な師匠というのは、もしかしたら、この兄弟子である仙桂和尚であったかもしれません。

仙桂和尚は穏やかな人柄で、自分が人の上に立って何か立派なことを言うわけではなく、ひたすら、行として野菜をつくり続けた人でした。否、行として、ということさえも自覚はしていなかったかもしれません。

自分の生きざまは、ただひたすら野菜をつくり続けることであり、それをみんなによろこんで食べてもらうことである、というふうに思い定めていたとしか思えないのです。

良寛さんの目に映った仙桂和尚とは、「実践の人」であったということにほかなりません。

心がスーッと晴れる〝打ち出の小づち〟⑤――「心の扉を開く鍵」

円通寺の住職である仁保さんは、本当に穏やかで安らげる人でした。世の中にこんなに素敵な笑顔の人がいるのか、と思うほどでした。

以前に、仁保住職のもとに、自分の子どもが不登校だから治してもらえないかという相談をもち込んだ人がいたそうです。

仁保住職はこのように答えました。

「私にはそれを解決する力はありません。ただ、毎日早朝に座禅を組んでいるので、それに参加して、何か一緒に考えることはかまいませんよ」

そのお父さんは、不登校の子どもを連れて、毎日車で通うことにしました。

そして半年も経ったときに、仁保住職はそのお父さんからこのような話を聞かされたそうです。

「毎日送り迎えで二時間ほど一緒に車に乗っているうちに、息子とたくさん話をするようになりました。最初は口数が少なかった息子も、いろいろなことを話してくれるようになりました。本来の明るさを取り戻し、不登校の問題も解決しました。大変ありがとうございました」

「私にはそれを解決するような力はありません」と言える仁保住職の柔らかさ、謙虚さ、温かさというものは、仙桂和尚や良寛さんと共に円通寺に受け継がれている思想なのかもしれません。

滅多に見られない素晴らしい笑顔を目の当たりにして、私はとても幸せな気持ちで円通寺を後にしました。

挨拶は〝心の湯たんぽ〟

「求めない」ということ

『中陰の花』で芥川賞を受賞された玄侑宗久《げんゆうそうきゅう》さんは、臨済宗《りんざいしゅう》のお寺の僧侶でもあります。私はたまたま宗久さんとお会いする機会に恵まれました。

宗久さんは宗教者ではあるのですが、宗教的な「信ずる」とか「信仰」という立場からではなく、三次元的に検証しながら死後の世界をとらえているという点で、大変面白く魅力的な方でした。

作品の中にも示されているように、宗久さんは大変な勉強家であり、いろいろな話題や情報が出てきて、話していてとても楽しいのです。話の面白さや情報の深さからでしょう、全国各地から講演依頼が来て、飛びまわっているということでした。私自身も、いくら話を聞いても飽きることがありませんでした。もっとたくさん聞きたい、と思わせる方なのです。

その宗久さんが、天竜寺で修行をしていたときの話です。

毎朝宗久さんが廊下の拭き掃除をしていると、庭先から「おはようございます」と、にこやかな笑顔で挨拶をされる作務衣《さむえ》姿の方がおられました。

宗久さんは、当初はこの方がいったい何者なのかわからず、ただ、毎朝爽やかな笑顔で挨拶されるので、とても感じのいい人だとは思っていたそうです。

後でわかったのですが、この方が天竜寺の貫長《かんちょう》（最高位の方）でした。

この貫長さんは、毎朝決まった時間に天竜寺近くを散歩されていたそうです。そのときに毎日出会う人がいました。その人に対して、貫長さんは毎日同じように「おはようございます」と挨拶をして会釈をなさいました。

しかし、声をかけられた人は、無視をして一切返事をすることがなかったといいます。

しかし貫長さんは、相手の笑顔や挨拶が返って来ようが来るまいが関係なく、毎朝笑顔で「おはようございます」と言い続けたのだそうです。

三年経ったある日のこと。いつものように「おはようございます」と笑顔で挨拶した貫長さんに対して、その人はついに「おはようございます」と声を発しました。そして、言い終わった後に、「ごめんなさいっ」と、がばっとひれ伏したというのです。

この人の心の中に何があったのか推測するすべはありません。推測することも無意味なことでしょう。

何があったのかということは大した問題ではなく、大切なのは、かたくなに挨拶を拒み続け、視線を交わすことさえしなかった人に対して、一カ月や二カ月ではなく、三年もの間、笑顔で「おはようございます」と言い続けた人が世の中にいる、という事実です。その結果として、そのかたくなに人を拒み続けた人が、ついに心を開き、涙ながらに「ごめんなさい」と謝ったというのです。

貫長さんは、返事をしなかったことを責めていたわけではありません。**ただ自らの生き方として、相手がどういう態度であろうと関係なく「おはようございます」と言**

い続けた、そういうことに徹した、ということだと思います。

「これほど自分が挨拶をしているのに、返事をしないとは何事だ」と言うのは簡単でしょうし、一般的な反応かもしれません。しかし、それでは挨拶している意味がありません。挨拶をすることで結局ケンカを売っているのでは、何にもならないでしょう。

その人に「おはようございます」と声をかけることは、貫長さんの側からすると「自分の勝手」ということであったのかもしれません。自分が行として、ただそのように毎日を送り、そういうことに徹し、相手がどのような反応であろうと関係なくそのように生きる、という姿であったのでしょう。

宗久さんが語る貫長さんの姿は、とても爽やかで、清々しいものでした。

第三章

「心」も「体」も「魂」も元気になる〝得〟な生きかた

――競わない・比べない・争わない

自己発見

何のために生きるか

「今の自分は〈本当の自分〉ではない」と、「自分探し」を続けている人がいます。

そうした人の多くが、〈本当の自分〉の手がかりを求めて、あちこちで開かれる講演会やセミナーに出かけて行き、「勉強」をしています。

それが、謙虚さであり、向上心から生じているということは、よくわかります。ただ「自分探しの旅」をあまりやりすぎると、いちばん大切な「実践」というものが、忘れられてしまう可能性があります。

「自分探しの旅」をしていれば、それで気がすんでしまう、それさえしていれば気が楽、と思ってしまうのかもしれません。

ある人の話を聞いていると、「このセミナーも受けたことがある」「あの人の講演も聴いたことがある」と、この世界で有名な人の名前は、ほとんどその人の口から出てきました。

その人は、私が主催する会に参加していたのですが、ある人の発言が気に入らなかったのか、帰り際に私にこう言いました。

「あの人が参加する以上は、私はもう来ない」と。

こういう言い方というのは、多くの人がわりと気楽にしてしまいがちですが、「自分を参加させたければ、あいつを参加させるな」と言っているわけです。

人格上の勉強や研鑽《けんさん》を積んできた人の発言としては、あまり歓迎できるものではありません。普通の人が、そう発言するのならともかく、たくさんの勉強をしてきた人の口から、そのような言葉が出てきたというのは、大変意外でした。

多くの勉強をしても、その勉強が自分の日常の言動につながっていなければ、それは意味のないことだと思います。

多くの人から多くのことを聴き、学んできた結果として、「常に、人を憎まず、恨まず、呪わずに、だれに対しても同じ態度で接することができる」ということが、日常の「実践」というものです。

それが、だれかを「気に入らない」と思った結果（思うこと自体は否定しませんが）、「あいつが来る限りは、自分は絶対に来ないぞ。だから、もし自分を参加させたいと思うなら、あいつを来させるな」と言葉にするのは、かなり傲慢《ごうまん》な考え方です。

真に〝生きがい〟のある人生

臨済宗妙心寺派管長であった禅僧、山田無文《やまだむもん》老師のエピソードに次のようなものがあります。

山田無文老師があるとき京都駅で電車を待っていると、ひとりの学生が近づいて来て、「お尋ねしていいですか」と言う。

老師が「はあ」と言われると、青年は質問しました。

「僕は何をしたら、いいんですか」

何をしたら、真に生きがいのある人生を送れるか。そこで老師は言われました。

「〈僕（＝あなた）〉の好きなことしたら、いいじゃないか」

すると青年は言いました。

「その〈僕〉がわからないから、東京からきたんです。〈僕〉とは何ですか」

そこで老師は言われました。

「昔から『汝自らを知れ』というが、いちばん身近にあって、いちばんわかりにくいものだ。時間がないから、結論だけ言おう。君は今から、自分のことは勘定に入れないで、だれかのために自分を献げて生きてごらん。そして他人のために働いて『よかったなあ、幸せだなあ』と思えるような自分がわかったら、それがほんとうの〈僕〉だと、わしは思うがなあ」

秋月龍珉《りょうみん》という臨済宗のお坊さんが、『「般若心経」を解く』の中で披露している話です。

「自分探しの旅」は、まさしく「他人のために働いて幸せだなあと思う私」に出会うことなのかもしれません。

心がスーッと晴れる〝打ち出の小づち〟⑥──「今のあなたが一〇〇点満点」

一年に何人か、講演会が終わってから、このように質問する人がいます。

「私の使命は何でしょうか。自分探しを二十年やっているのですが、まだ見つかりません」

「あなたは、今、何をやっているのですか」

「主婦です」

「じゃあ、夫と子ども、家族に対して、できること、やるべきことをただ淡々とやっていればいいいですよね」

本当の自分というのは、今、やるはめになっていることを一〇〇％やること。

「私には、もっとちゃんとした使命があるはずだ」と思っている人は、今すべきことさえも、しっかりやっていない傾向があります。

神さまは、もしかすると、上から見ていて、「家庭のこともちゃんとやれないぐらいだったら、ほかのいろいろなことは任せられないよね」と思っているのかもしれません。


今やっていることに対して、手を抜きながら適当にやっている人は、今の生活のほかに、使命に満ちた〈私〉が存在すると思っているのです。

パッと服を脱ぎ捨てて、スーパーマンになることを夢みている人が、世の中にはたくさんいます。変身をして、隠されたところに自分のすごい役割やすごい能力があるに違いないと思うのは、やめたほうがいいみたいです。

今、生きている〈私〉が、一〇〇点満点なのだから、今やらされていることを淡々とやっていって、淡々と死ぬというのが、人生をまっとうすることだと思います。

自分で自分に惚れる

「〈自分を見つめる〉というのがどういうことか、わからない」

という質問を受けたことがあります。

私はこう、お答えしました。

「自分で自分の〈いいところ探し〉をしてみてはいかがですか」と。

自分で自分がわからなくなってしまうのは、自分の「あら探し」をするからです。

そうではなくて、自分で自分の中をずっと見つめて「こんないいやつだったんだ」

というのを探していく。

「自分で自分を見つめる」というのは、「いかに自分で自分に惚れるか」ということではないでしょうか。

私は、自分のいいところ、好きなところを二百個くらい書き出せます。自分で、「すごくいいやつだな」と思っています。他の人の評価は関係ない。だれが何と思っていてもかまいません。私には、このようないいところがある、というのを二百個書いき出せるようになると、人生をいじいじ考えないですみます。

人間は、だれでも未熟です。もともとろくなものではなく、大したものではないのですから、その大したものではない部分を探しても無意味です。あら探しをすれば、たくさんあることでしょう。

私自身もたぶんあら探しをしたら、二百個や三百個は書けると思いますが、そういうことを考えないことにしています。

「大したものではない」と思いながら、「でも実は、結構いい奴かもしれない」と、自分がいつのまにかいとおしくなる。それが、自分探しになるように思います。

「自分のいいところ」を百個挙げてみる

「自分で自分のいいところを、いくつ挙げられますか」と問いかけたら、あなたはいくつ挙げられるでしょうか。

「自分で自分がわからない」という人は、一年後までに、百個挙げられるようにしてみてください。

一年後に同じ質問をします。そのときには、「自分で自分がわからなくなっています」とは言わないと思います。

他人の評価で生きるのではなくて、自分の評価で生きるのです。そうすると、自分がよく見えてきます。

私は毎年、大晦日の夜に、その年一年を振り返ります。

自分で自分が好きになって、「いいやつだな」と思うと、大晦日が楽しくなります。

「今年一年、自分はどうだったかな」と振り返ってみると、「うん、結構いいやつだった」とか言って、自分の頭をなでてあげたい気分になります。

だから、あなたも自分のいいところを一年後には百個、二年後には二百個挙げられるようになってみてください。

人生が楽しくなることでしょう。

誤解を解く方法

そのうちわかる、という生きかた

「私は、自分のおせっかいで友人の子どもさんを傷つけてしまったことがあるんです。それで、その友人からはとても恨まれていて、つらい思いをしています。私は、その人と話し合いをして和解したほうがいいんでしょうか」

その人によかれと思ってしたことが裏目に出て、逆に傷つけてしまうというのはよくあることです。質問された方も、悪気があったわけではないのに、どうしてこんなことになってしまったのかという、やりきれない思いだったに違いありません。

私は、頼まれてもいないのに、自分の判断で何かをしてあげようとするのは、やめたほうがいいという考えです。

頼まれたら、いつでもだれに対しても人を選ばないで快く引き受ければいいですが、頼まれてもいないのに自分の勝手な思い込みで「この人は、きっとこれが必要なんだろう」という関わり方は、しないほうがいいと思います。それは「小さな親切・大きなお世話」ということですから。

人間関係においては、距離感がある程度あるとトラブルになることは少なくなります。やはり踏み込んではいけないエリアがありそうです。

社会心理学的にも、人にはそれぞれ安心できる空間というものがあるとされています。

あまり近づきすぎると相手を不安にしたり、イライラさせたりしてしまうのです。

ある社会学者の研究では、初対面で会話をするには一・二～二・一メートルの距離がいいということです。これは、お互いに手を伸ばせば握手できる距離です。

これ以上近づくには、親密度を増す必要があります。

しかし、親密度が増して距離が近くなると、相手に対するポジティブな態度とネガティブな態度の両方が強化されるといわれています。つまり、相手に対する好意も憎悪も、両方とも増幅される可能性があるということです。

友人にしても家族にしても同じですが、近寄りすぎないこと。もし、他人に対して踏みとどまることができる問題なら、家族に対しても踏みとどまれるはずです。**人間関係で大切なことは〝距離感〟**だと私は思います。

それから、たとえだれかを傷つけてしまったとしても、自分のせいだとか、あまり考える必要はないと思います。それを思い悩む必要はありませんし、自分がつらく悲しい気持ちになる必要もありません。

誤解されていることに関して、一生懸命に相手に事情を説明して、わかってもらいたいと思うのはやめましょう。

ただひたすら後ろ姿を見せて、「あー私は、あの人を誤解していたかもしれない」とその人に思わせるような生きかたを、これからしていけばいいと思います。

「後ろ姿」にすべてが現われる

忠臣蔵でおなじみの四十七士の中に神崎与五郎《かんざきよごろう》という人がいました。浅野内匠頭《たくみのかみ》が切腹をし、藩が断絶したため、浪人になり吉良《きら》家の内情を探ったりしていたときのことです。

与五郎が屋台で飲んでいたとき、たまたま隣り合わせた町人が与五郎の腕を見て、この男は大工か、元は武士ではないか、と思ったそうです。大工や侍《さむらい》というのは、必ず腕の筋肉がすごく発達しているからです。

その町人は与五郎の言葉遣いや物腰などを見て思わず、「あんた、元はお侍みてえだが、どこの国の人だね」と与五郎に尋ねました。

「赤穂《あこう》だが」と答えると、「なんだって。じゃあ、あの浅野内匠頭の家臣かあ」と町人はびっくりしました。そして、「俺たちは、いつになったらおめえさんたちが浅野の殿さんの仇《かたき》を討つのかと思って楽しみにしてるんだが、一向にそんな気配がねえなあ、ってみんな言ってるぞ。でも本当はそのうちやってくれるんだよな」と与五郎に絡み始めました。

そのとき、討ち入りの準備は着々と進んでいたのですが、決して外部に漏らすわけにはいきません。ましてや屋台で出会った男に簡単にしゃべるわけには……。

そこで、与五郎は「いや、主君の仇討ちなどだれも考えていない。それに、もう自分は普通の町人になった。そんなことは忘れた。今は毎日食べるだけで精一杯だ」と答えました。すると、町人は目をむいて、

「なんて意気地のねえ話だ。赤穂のお侍がこんなに意気地なしとは知らなかった。おめえさん、なんて名だ」

「神崎与五郎と申す」

「なにい、かんざけ（燗酒）よかろうだ。俺が冷や酒飲んでるからってバカにするんじゃねえ」

興奮した町人は、酒の勢いもあって与五郎の頭に冷や酒をドボドボと浴びせると、

「これが本当の寒酒（かんざけ）よかろうってもんよ」と悪態をついて、去って行ったということです。

屋台の親父さんは、どんな大ゲンカになるかとはらはらしていましたが、与五郎は静かに酒を拭きスッと立ち上がると、「あいすみませんことで」と謝る屋台の親父さんに対してニッコリ笑って「そのうちわかる」とひと言言って、去ったといいます。

その後、見事に吉良邸討ち入りを果たした四十七士は、その討ち入りの約三カ月後、幕府から全員切腹を命じられ、遺体は芝高輪の泉岳寺《せんがくじ》に葬られました。泉岳寺には今も四十七士の墓があり、神崎与五郎もそこに葬られています。

切腹後しばらくして、ひとりの町人が与五郎の墓を詣《もう》でました。そして、地面に頭をこすりつけて「神崎さん、申し訳なかった。許してくれ」と号泣しました。あの「寒酒（かんざけ）よかろう」と酒を浴びせた町人でした。

町人は、墓の前で頭を剃《そ》り、それから一生、与五郎の墓の世話をする墓守として生きたということです。

神崎与五郎は、決して言い訳をしませんでした。弁解も弁明もしませんでした。ただひたすら、生きざまや後ろ姿を見せ続けたのです。そうした誤解を解く方法があるのです。

謝っても聞いてくれないというのは、つらいことですが、その後、自分の後ろ姿を見せて「あー、私はあの人を誤解していたかもしれない」と思わせたら、それでよしでしょう。

死ぬ前に誤解が解けなくても、それでよし。だれかに誤解されても、それをどうしても「解きたい、解きたい」と思う必要はありません。

誤解されたとしてもいつかはわかってくれる、と思いながら生きていけばいいのではないでしょうか。

神崎与五郎のように、**これからの生きざまを見せ続けるという解決方法**もあるのですから。

人を育てる

〈叱る〉ということ、〈教える〉ということ

「五戒」の話をしたときに、次のような質問をされた方がおられました。

「〈叱る〉というのは、ある種の厳しさに基づいた注意の仕方だと思いますが、これも、〝五戒〟のうちに入るのでしょうか」

〈叱る〉というのは一応、五戒の中には入ってないと思います。

ただ、私は叱ることもほとんどしません。

私の子どもは、全国を講演で飛び回り、月に一、二回しか帰ってこない私の顔を見ると「何かお手伝いすることはありませんか」と聞いてきます。

私は原稿を書くのが仕事ですから、特に手伝ってもらうこともないのですが、「ありがとね」と返します。たまたま五十通くらい人に手紙を出さなくてはいけないときに、封筒貼りなどをお願いすると嬉々としてやってくれます。

こんなふうになっていたら、父親の側からは叱るということもほとんどしなくてすむようです。

たとえば、してはいけないことをしたときに、「君がそういう状態になっているのを見ると、私は悲しい」と言うだけで、もういいのです。

それは、叱るのとはちょっと違います。ただ「そうなると悲しいんだよ」と伝えるのです。この子が「父親を悲しませたくない」と思ってくれたら、すべての問題が解決するでしょう。

子育てに苦労しているお父さん、お母さん方が、ずいぶんいらっしゃいます。それから、部下の掌握に悩んでいる上司の方もたくさんいらっしゃいます。

結局、解決策はひとつです。

〈すごい人になってしまう〉ことです。

この人から好かれたくて好かれたくてしょうがない、この人の信頼を裏切りたくないという関係になってしまう。

父親が、母親が、先生が、社長が、上司が、「そうなってしまうと悲しい」とひと言言うだけで解決します。

それは叱るのとは違います。怒鳴る、怒ることの上の段階で、叱るという行為がありますが、そこでとどまることなく、さらに上へ行き、メッセージを伝えるだけでいい。そこまでいったら、人間関係はものすごく円滑に流れることでしょう。

学んだことを「教える」のではなく「披露する」

映画『禁じられた遊び』は、同じ題名のギター曲によって大変有名になりました。ギター曲としては、もっとも知られる曲のひとつではないでしょうか。

映画の主題歌を弾いていたのは、ナルシソ・イエペスという人です。

日本で大変有名なギタリストである荘村清志《しょうむらきよし》さんは、このイエペス先生に師事した人です。

あるパーティーで、「天才ギタリストの少年がいる」ということで、荘村さんはイエペス先生の前でギター演奏を披露することになりました。演奏が終わったとき、「もしギターを勉強したいのなら、私のところへおいで」と、イエペス先生から声をかけられ、荘村さんは大変よろこび、スペインに渡ります。そして十六歳から二十歳までの五年間、イエペス先生についてギターを学びました。

イエペス先生は、五年間、一度も荘村さんを怒ったことがなかったそうです。もちろん、荘村さんに対してだけでなく、まわりの人すべてに対して、声を荒げたり、怒ったり、怒鳴ったり、威張ったりすることはなかったという、大変な人格者でした。

荘村さんの話によると、イエペス先生の指導方法はとてもユニークだったそうです。「キヨシ、こんな弾き方を発見したぞ」とか「こんな弾き方もあるね」と、大変楽しそうで幸せそうな表情をしながら、嬉々としてギターを弾いていたというのです。それを見て、荘村さんも一生懸命にその弾き方を真似して、イエペス先生に追いつこうと頑張ったといいます。

「そのところ、何とかしろ」とか「もっと修行しなくちゃいけない」というような、日本の徒弟《とてい》制度のような教え方ではなく、ただひたすら自分で新しい弾き方を見つけ、楽しそうに弾く先生だったそうです。

二十歳から三十歳までの十年間、荘村さんは帰国し、日本で押しも押されもせぬギタリストとなりました。数千人を収容するコンサートホールを埋めるだけの名前と実力を兼ね備えるまでになります。

三十歳のとき、荘村さんは再度スペインに渡りました。十年経って、少しはイエペス先生に追いついただろうと思い、多少鼻高々で、意気揚々として向かったといいます。

そして、十年ぶりにイエペス先生にお会いしました。

そのときのことを語る荘村さんのひと言で、私はイエペスという人をものすごく素晴らしい人だと思ったと同時に、荘村清志という人もとても好きになってしまったのですが、荘村さんはイエペス先生に対して、こう思ったというのです。
「イエペス先生は、お別れしたときよりも、もっと、ずっと先を歩いていた」

イエペス先生の人柄が偲ばれるこのエピソードから、ひとつ、とても大切なことを私たちは学べるような気がします。

人に何かを教えるというとき、日本では、どうしても上位にある者が下位の者に対して、恩着せがましく、偉そうに教えてしまうという傾向があるように思います。

当然、下の者はそれを教わらなければなりませんから、ときには厳しい言葉を浴びせられたり、ののしられたりしながら、それを我慢して過ごしています。

しかし、このイエペス先生の教え方は、そういう日本的な教え方とはまったく違うところにありました。

イエペス先生は、よろこびをもってギターというものをとらえていて、楽しくて仕方がなかったようです。ですから、弟子に教えるというよりは、荘村さんのような弟子が、観客でもあり、パートナーでもあり、友人でもあったということになるのでしょうか。

人に何かを教えるというのは、本当はこういうことではないかと、大変考えさせられるお話でした。

笑いは〝万能薬〟

病気になる人・ならない人

私の講演会は、かたくるしい講演会と違って、参加者のみなさんがずっと笑いっぱなしというのが特徴です。けれど、そんな中でも、百人にひとりぐらいの割合で一回も笑わない人がいます。そんな人に限って、講演会後に私のところまでやって来て、こんなことを言います。

「ちょっと聞いていいですか。三十年近く、リウマチを患っています。どんな医者に行っても治らないんです。どうしたらこの痛みを治すことができますか」

だいたいは、五十代、六十代ぐらいの人です。

「それはともかくとして、講演会中、全然笑いませんでしたね。一回も笑わない人は珍しいので、ずっと注目していましたけれども。日常生活でもずっと笑わないんですか」

私は笑わない人には、必ずそう聞くことにしています。

「痛くて笑えないんですよ」

「笑わないと、痛いみたいですよ」

「痛くて笑えないんですよ」

「笑わないと、痛いみたいですよ」

……。

こんなやりとりが八回ぐらい続きます。

笑わないから痛いのです。

私たち人間には、痛みを抑える物質を自分でつくり出す機能が備わっています。それがβ《ベータ》―エンドルフィンという物質です。

β―エンドルフィンは、別名「脳内モルヒネ」ともいい、免疫性を強くする、痛みを和らげるといった効果があります。

この「脳内モルヒネ」を分泌させればいいのです。β－エンドルフィンは、笑顔で、ゆっくり笑って「楽しいよね」「面白いよね」と言ったときに分泌されます。

実際に、腰痛で十年苦しんできた人が、私の講演会で笑って、笑って、笑い終わって、「ああ、疲れた」と言って立ち上がったら、全然痛くなくなっていた、という例がありました。

また、孫娘に連れられてきた八十歳くらいの、腰の悪いおばあさんがいました。同じ姿勢が保てないので、三十分ごとに椅子に座ったり、立ったりしなければならないということでした。

ところが、二時間の講演中に、だれも立ったり、座ったりしませんでした。いちばん後ろに座っていたおばあさんも一回も立たなかったのです。「つらくなく、普通に座っていられた。不思議だった」ということでした。

笑っていると、痛くなくなります。「脳内モルヒネ」が分泌されると、痛みを感じなくなるのです。

ですから、笑っていることはすごく重要です。いい話を聞いても体が緊張状態になるよりは、内容のない話でも、**笑って笑って、「すごく笑ったよね」と言っていると、体はすごくいい状態になります。**

免疫力がアップする秘密

ある病院があります。「ホリスティック医学」で有名な、日本でも指折りの病院です。

ホリスティック医学＝総合医療というのは、西洋医学はもちろん、鍼灸や気功といった東洋医学、音楽療法や箱庭療法などの精神医学など、さまざまなアプローチから総合的に人間の心や体を治す治療法です。

その病院の院長さんの講演会を聴いた人が、私の講演会に出かけて来て、「この前、あの院長先生からこんな話を聴いたんです」と私に教えてくれました。

「医療に関わって五十年ぐらいになるが、がんになる原因も理由も今もってわからない。

そして、五百人にひとりほど、何の治療もしないのに、自然治癒で、がんが治る人もいる。その理由も原因も、今もってわからない。

わからないことだらけだが、最近、おぼろげに浮かび上がってきたある種の考え方がある」

そして、院長先生は、こんなふうに言ったそうです。

「これは確定ではないし、確信でもないけれども、こういうことなのかなと浮かび上がってきたことがひとつある。がんが自然治癒してしまう人は、温かい雰囲気、温かい空気に囲まれて暮らしている」

この話はとても面白いものです。

院長先生は、「何とかがんをやっつけるぞ」と必死に頑張ってがんと闘う人も、心穏やかに、ある種の悟りの状況になって亡くなっていく人も、山ほど見てきました。

頑張っても、心が穏やかになっても、それで自然治癒するわけではない。何か別の要素が関わっているのではないか。

最先端の医学にずっとたずさわり、ありとあらゆる方向から人の体を治療し、その頂点に到達した人が見たものというのが、**「温かい雰囲気」**だというのです。

がん細胞は、増殖するかどうかは別にして、だれにでも、いつでもできています。がん細胞を減らすには、温かい家族や仲間に囲まれていることが重要らしいのです。

温かい雰囲気をつくるには、**〈人によろこばれる存在〉**であることです。

だれかに何かをしてあげるのも、〈よろこばれる存在〉になるひとつの方法ですが、まず「自分がそこにいるだけで、温かいと感じてもらえるようになる」のはどうでしょう。

それには、まず、笑顔になることです。

それも、「面白いから」と笑っているレベルではまだまだ。何でもいいから笑うこと。優しい心で笑ってあげることが、温かい空気、雰囲気をつくるのです。

「つまらない、バカバカしい」とか言っていると、自分の体の中にがん細胞を増殖させてしまいます。

笑うことによって、温かな空気、雰囲気をつくり、がん細胞を減らすか。

「そんなバカなことで笑えるか」と冷たい反応することで、がん細胞を増やすか。

さあ、あなたはどちらを選びますか?

笑顔でリラックスの効用

ある年の夏の講演会が終わった後に、ひとりの男性が話しかけてきました。

「ひとつ質問していいですか?」

身長が一八二、三センチ、体重が九〇キロぐらい。とにかくガッチリしていて、ボディビルダーのような体つきをしています。その割に目がパッチリしていて、かわいい顔をした二十八歳ぐらいの男性でした。

「何でしょうか」

「野球をやっているのですけれども、どうしたら打てるようになりますか」

と言うので、

「野球をやっている？　高校野球の監督か何かをやっているんですか？」

と聞いたところ、

「いや、プロでやっているんです」

「二軍でやっているんですか」

「いや、一軍でやっています」

「ほお、一軍。球団の名前は何ですか」

有名な選手でした。

その前日、代打で起用されて、打てなかったそうです。

「すごく落ち込んでいるんです。どうやったら打てるようになるか、教えてください」

後でわかったことですが、彼はある雑誌のインタビューで「一冊の本で変わった」と答えていました。その一冊の本というのが、私の本だったのです。

そこで彼は、東京での私の講演を聴き、その後で質問に来たというわけです。

私は一応、この選手にいくつかアドバイスをしました。そのひとつが、〈リラックスする方法〉でした。

オリンピックで金メダルを九個もとったカール・ルイスという陸上選手がいました。彼はものすごく不器用な人で、特にスタートが悪かったといいます。一〇〇メートル走で八人が用意ドンとスタートすると、必ず八番目に立ち上がるほど反応が遅い。

カール・ルイスはスタートは必ずビリでしたが、五〇メートルを過ぎたあたりから、急激に加速して前の七人を抜いて、トップでゴールをします。

彼をマン・ツー・マンでコーチしたトム・ペリツという人がテレビのワイド・ショーに出てきて、三、四分しゃべったことがあり、それを私がたまたま観ていました。今まで講演会の中で何百回も、「この番組を観たことがある人いますか」と聞いてみましたが、だれひとり観た人がいません。それだけでも私は「ツイて」いました。

番組の中で、トム・ペリツはこんなことを言っていました。

トム・ペリツがカール・ルイスに教えていたこと。それは、

「五〇メートル過ぎたら、笑え」

というものだったのです。

人間の体の筋肉というのは、緊張して「頑張ろう」と思ったとたんに、萎縮します。硬直してしまうのです。ところが、笑うと、体中の筋肉が柔らかくなり、すごい能力を発揮できます。リラックスすることが重要なのです。

私は、その選手に次のように言いました。

「今は、代打に起用されると、何とか打たなくてはいけないと思うでしょう。そう思った瞬間に緊張してしまい、それでバットが振れなくなります。バッターボックスに入ったら、笑いなさい」

私のアドバイスを受けた翌々日の試合で、彼は大活躍しました。

簡単なことです。たくさん笑えばいいのです。そうすれば、みんな能力が発揮できるようになります。

昔、私が二十代、三十代のころは、「頑張らないやつはバカだ、クズだ」と言われて、スポーツも徹底的に苛酷な訓練ばかりをやるというのが当たり前でした。

今は、スポーツ医学も発達し、笑顔でリラックスすると力が出る、というのがわかってきました。

スポーツの指導者、会社を経営している人、人の上に立っている人、肩書きに長がつく人は、選手や部下を育てるのに、怒鳴ったり、威張ったり、怒ったりしてはいけません。どんどん悪くなって、どんどん能力が低下していくだけです。

ものすごく実力があって、才能に満ちている人がいても、緊張させ、萎縮させてしまっては、その能力を発揮させることはできません。**リラックス、さらには笑いこそが、能力を発揮させる鍵なのです。**

第四章

目の前にいる人、すべてが大事

——友人、家族の絆がもっともっと深まる

同心円状の関係

人間関係の悩みがスーッと消える

家族のしがらみに悩む人が多いと思います。

私は、今まで十万人を超える人の人生相談を受けてきましたが、**自分の中で家族というものを〝特別視〟さえしなければ、悩み、苦しみの九割はない**であろうにと思います。

フランスにジョルジュ・シムノンという作家がいます。メグレ警視シリーズというベストセラーを書いている有名な推理小説家ですが、その作品の冒頭にはこう書いてあります。

「この世に愛というものがなければ、犯罪のほとんどは起きなかったろうに」

このジョルジュ・シムノンの言葉は、人間に対する限りない優しさと洞察力を感じさせます。普通のミステリーとは深さが違います。人間の描き方が深くて、人間の心優しさみたいなものがいつも犯罪に絡んできます。

そのジョルジュ・シムノンの「この世に愛というものがなければ、犯罪のほとんどは起きなかったろうに」という言葉からヒントを得て、家族というものを次のように考えると、家族のしがらみから離れることができます。

家族と他人を等距離に

ここに階段があります。最初は、同じ高さに家族と他人がいます。

もし家族が他人よりも十段大事と考えると、階段が十段上がるわけですが、他人の位置からすると、他人は十段大事じゃなくなったように見えます。

家族が百段大事だと思った場合には、他人の位置からすると、他人は百段大事じゃなくなったことになります。そうやって、人間関係を「家族だけが大事だ」と思ってとらえていると、このギャップに大変苦しむことになります。

宇宙的なレベルでものを考えていくと、**実は親子とか、家族とか、他人とかいう区別はなく、すべての魂は全部同心円、等距離にある**ことに気がつきます。

親子という名の他人、夫婦という名の他人、家族という名の他人、すべて家族という名の今生での縁です。

それが自分の中ではっきりと確認できると、親や兄弟や家族だけ、恋人だけ、自分の妻や夫や子どもだけではなくて、すべての目の前にいる人が大事であることに気がつきます。

この話をすると、「じゃあ、家族をないがしろにしろということですか」という人がいますが、そういうことではありません。

自分のまわりに現われる人は常に等距離ですから、家族に対するのと同じように、大事にするということです。その中のひとりが妻であったり、夫であったり、子どもであったり……。

血のつながっていない人も全部大事な存在です。今日初対面の人までも、全部同じ距離にいるんだと思ってみたらどうですか、ということです。

要するに、家族を大事にするのと同じ距離感で他人にも対するというのがわかってくると、家族のしがらみに縛られることがだんだん少なくなってきます。

〈私〉の目の前にいる人すべてが大事な人であると認識すること。それが宇宙の真実だと思います。

対面同席五百生

仏教の言葉に「対面同席五百生《たいめんどうせきごひゃくしょう》」というのがあります。

対面し、同席する人というのは、過去世で最低でも五百回人生を一緒に過ごしているという意味だとも、五百回生まれ変わってようやく出会えた人だという意味だとも

いわれています。

たとえば、一緒に食事をする人の数を考えてみます。よく考えてみると、ほとんどの食事は、家族あるいは職場の同僚、親しい友人・知人と一緒です。それ以外の人と食事をするというのは、よほど特別な状況や環境に置かれていない限り、そう多くはありません。

生涯の総数でも、少ない人では百人とか二百人という人もいるはずです。多い人でも数百人の範囲でしょう。

ということは、一緒に食事をするということは、とても密な人間関係であるということがいえるのではないでしょうか。

同様に、仮に自分と気持ちの合わない、あるいは自分を追いかけてくる借金取りとの関係でさえも、それは前世までに非常に親しい関係があったということがいえそうです。

私たちには敵とか味方という区別はなく、本来、今生でそういう役割をお互いに演じながら、「お互いに支え合って生きていく」「お互いに助け合って生きていく」「お互いに依存しながら生きていく」という関係を、人生のシナリオに書いて生まれてきているのかもしれません。

今生ではどんな関係であっても、前世までにとても親しい関係であった人が、私たちのまわりに現われてきているということになるようです。

理想的な夫婦とは？

夫と妻は違う生きもの

七十歳過ぎて妻に先立たれた夫のほとんどは、五年以内に後を追うように亡くなっていくようです。自殺ということではなく、体力・気力がなくなるのです。男性は偉そう、強そうに見えますが、ものすごく妻に依存しています。

一方、七十歳を過ぎて夫を失った妻の多くは、十五年以上生きているようです。妻は、「三十年も四十年も一緒に生きていた素晴らしい伴侶がいなくなってつらいわ」と言いながら、ドンドン若返る。

男性が認知症になったとき、最後までわかるのが妻。女性が認知症になったとき、最初に忘れるのが夫らしい。

男性と女性は、もともと違う生物だと思ったほうがいいようです。男性と女性は、火星人と木星人くらい違います（もし火星や木星に生物がいるとすればの話ですが）。

だから、わかり合う、同じ価値観になるということはなかなか難しい。実は、**認め合うこと、相手を受け入れることのために夫婦になる**のだといいます。

人間関係は、みんなそうです。そういう一人ひとりの面白さを見出すために妻がいて夫がいると思ったら、いちいち夫婦ゲンカをしなくなるでしょう。

「不満」がたちまち「感謝」に変わる魔法

夫婦ゲンカをする人は、これは自分の妻だ、これは自分の夫だ、という誤解をしています。その人は自分の身内で家族であるから、何を言ってもいいと思っているのです。

でも、仮に隣のおじさんが毎月給料を運んでくれていると思ったら、文句を言ったりしないでしょう。

「どこのどなたか存じませんが、毎月、毎月私たちの家族が食べられるようにしてくださって、ありがとうございます。経済的に困らないようにしてくださって、ありがとうございます」

とただ手を合わせて感謝するしかありません。

「たまの土曜日くらいは、子どものキャッチボールの相手をしてよ」

と疲労困ぱいして帰ってきた夫に向かって、こう言ってしまう妻がいるようです。

隣のおじさんだったら感謝しかしないのに、自分の夫であると、なぜそんなにイヤみばかりを言ってしまうのでしょうか。

でも、そのように言われるのはまだいいほうで、「土曜、日曜くらいは外に出ていってよ」と言われる人もいるようです。「家にいてよ」と言われる人は、まだ恵まれているのかもしれません。

夫の側からすると、どこのどなたかわからないおばさんが、朝知らないうちに現われて、食事をつくってくれる、朝起きると味噌汁から湯気が立ち上っている、夕方帰ってくると夕食を用意してくれているなんていうことは、有り得ないことです。

「どこのどなたか存じませんが、朝食や夕食を用意してくださって、ありがとうございます」

と、こちらもただ手を合わせて感謝するしかありません。


他人だったら、手を合わせて感謝するのに、なぜ夫や妻には感謝しないのでしょうか。それは、家族という名の甘えでしょう。

原点に立ち戻って、というより、原点よりもずっと前のほうまで戻って、夫も妻も、「この人は、もともとは他人だ」ということを認識する。

そして、この他人の男性が私に対して、たくさんのことをしてくださることに感謝。他人の女性が私に対して、たくさんのことをしてくださることに感謝。

お互いを他人だと思ったら、夫婦はそんなにイガイガしません。

ケンカをしている夫婦というのは、夫のほうは経済的に食わせてやっている、妻のほうは家事をやってあげている、などと思っているのです。

男性と女性は根源的に違うのだから、同じ価値観にはなりません。そういうのを目指さないほうがいい。

もともとは他人だと考えると、人間関係がうまくいくと思います。

神さまからのボーナス

悩みや苦しみは向こうから勝手に降ってくるものだ、と思っているかもしれませんが、**悩みや苦しみというのは、自分が足りないものを挙げつらねて、「足りないものをよこせ」と言っているだけ**のようです。

結婚している人は「どうしてこんな人と結婚してしまったんだろう。もっといい人がいたかもしれないのに」と言い、結婚していない人は、「自分にふさわしい結婚相手がほしい」と言います。太っている人は「やせたい」と言い、やせている人は「太りたい」と言います。

夢と希望とは、ないものをほしがること。**ないものをほしがるのではなく、自分が**

もっているものをよろこぶと、自分がどれほど恵まれているかに気がつきます。

「女性に生まれて損だった。女は男に比べて損ばかりだ」

と言っていた女性がいます。

それに対して、こう言った女性がいました。

「あら、私はそうは思わない。女性は、ズボンを履いてもいいし、スカートを履いてもいい。選択肢が二通りある。女性は、イヤリングをしてもいいし、しなくてもいい。これも選択肢が二通りある。化粧をしてもいいし、しなくてもいい。これも選択肢が二通りある。靴は平底の靴でもいいし、かかとの高い靴を履いてもいい。これも選択肢が二通りある。

常に女性のほうが男性の二倍の選択肢がある。それは自由度が二倍あるということ。だから、女性に生まれてきてよかった」

考えてみれば、そのとおりです。ないものをねだるのではなく、自分に与えられて、すでに恵まれているものに目を向けたら、人間はどれほど恵まれているかわかりません。

人間が「夢や希望」と言っていることは、何か気に入らないことを宇宙に向かって言っているだけかもしれません。

どれほど満たされ恵まれているか、ということに気がつくと、来る日も来る日も感謝になります。

ありとあらゆるものに感謝をしていると、面白いことに神さまや宇宙は味方をしてくれて、「そんなによろこんでいるのだったら、もっとあげちゃおう」ということになるようです。

自分を磨く〝砥石〟

結婚は神さまからの〝検定試験〟

「いつも妻（夫）に優しくしたい、と思っているのに、会社ですごくストレスが溜まっていたりすると、ついイライラして怒鳴ってしまいケンカになるんです」という人がいました。

同じことをされても他人だと怒らずに踏みとどまれるのに、その相手が妻や夫だと怒鳴ってしまう。これは甘えているだけの〝幼児性〟で、大人になっていないということかもしれません。

何のために結婚するかというと、その幼児性と決別して大人になるために、だと思います。踏みとどまる訓練をするために、結婚があるともいえます。そこのところを勘違いしている人が多いのですが、**結婚してわがままが言い合えるのではなく、結婚してわがままを言い合える相手ができた状態で、いかに踏みとどまれるか、**がテーマなのです。

それが幼児性との決別であって「これでもか、これでもか」という具合にずっと神さまは問いかけているというわけです。

他人に対して踏みとどまれるのであれば、妻に対して、夫に対して、子どもに対しても踏みとどまれるはずです。

それが、妻だったら何を言ってもいいや、夫だったら何を言ってもいいや、というのは単なる幼児性、甘えなのではないでしょうか。幼児性を振り回している間は、やはり自己嫌悪するでしょう。

夫婦、家族というのは「他人に対して踏みとどまれるのなら、家族に対しても踏みとどまる訓練をする」場です。それが本当に大人になるということで、ストレスを解消するために家族があるのではありません。妻に対して、怒鳴ったり怒ったりするのがストレスの解消ではないのです。そんなことのために結婚があるのではないでしょう。それは、とんでもない勘違いです。結婚の本質はそうではありません。

結婚とは、「夫という名の砥石《といし》」「妻という名の砥石」を手に入れるということでもあります。お互いに「砥石」となって研ぎ合い、人格を磨いていくのが夫婦というものなのです。

「イヤなこと」は世の中に存在しない

ストレスからくる家族間のイライラを根源的に解決する方法は、ストレスを感じなくなる〈私〉になる、ということです。

私は「ケンカをしない夫婦になりなさい」と言っているのではなく、「両方が大人になったとき、ケンカは存在しなくなる」と言っているのです。

先に述べたように、他人に対して踏みとどまれるなら、夫婦同士でも踏みとどまれるはずです。その踏みとどまれる〈私〉をつくることが、結婚生活の本来の目的です。

もっと広い言い方をすると、魂を磨くために実は結婚が存在し、妻が存在し、夫が存在し、子どもが存在する。全部が魂磨きのために存在するということです。

人格を練っていき、踏みとどまれるようになったら、夫婦ゲンカは起きなくなります。ケンカは自然発生で湧いてくるのではありません。必ず売り言葉があって、買い言葉があります。売るほうがいない、買うほうがいないのであれば、絶対に起きません。

「荒々しい言葉を言うな。言われた人は汝に言い返すであろう。こわれた鐘のように、声を荒げないならば汝は安らぎに達している」（「法句経」）

このお釈迦さまの原理・原則を相手に対しても伝えておくと、ケンカは〈私〉にとってても相手にとってても不愉快だから、売らないし買わないようにしようと心がけます。

そうすると、もう売買が成り立ちませんから、ふたりの人間関係はずっといい方向へ行くでしょう。

また、世の中に「イライラさせる人」がいるわけではなく、「イライラする人」が生まれて初めて、「イライラさせる人」が生まれます。つまり、**〈私〉がイライラしなかったら、「イライラさせる人」は生まれない**のです。

それは「イヤなこと」「イヤな人」も、まったく同じです。〈私〉がそう思った瞬間に、「イヤなこと」も「イヤな人」も目の前に出現したのです。

すべて同じです。**そう「決めつける」私の心によって、そういう現象が生まれる**のです。

それならば、あなたのまわりを「幸せ」「いい人」「いいこと」でいっぱいにする方法、もうおわかりですよね。

心がスーッと晴れる〝打ち出の小づち〟⑦——「身養生・心養生・家養生」

江戸時代前期の儒学者で医学にも通じていた貝原益軒《かいばらえきけん》という人が『養生訓』というものを書いていますが、この中に養生三訓というのがあります。

ひとつ目、身養生。

ふたつ目、心養生。

そして、三つ目の養生が何かを知ったときに、私はいい意味でショックを受けました。

「貝原益軒の目のつけどころは、こういうところだったのか……」と。

三つ目の養生は〝家〟です。家養生。

この三つが揃わないと、健康にはならない。体だけ丈夫であっても、心だけ健康であっても……三つとも全部健康でないと体全体に影響が出るそうです。どこかがガタガタすると、必ず他のふたつもガタガタする……。

身養生と心養生は「心身共に」という言い方をしますから、これはわかります。ところが、貝原益軒はもうひとつ、〝家養生〟――「家の中がゴタゴタしていると、その人間は絶対に健康にはならない」と言っているのです。

つまり、いつもこの三つを同時に、穏やかにおさめていけば健康であるけれども、ひとつでも暴れ馬がいると平穏になることはない、〝健康〟になることもない、ということを言っています。

〝いい出会い〟の法則

恋愛は五％の消費税

「私はまだ独身ですが、まわりの人からも結婚のことでいろいろ言われますし、私も、やはり〝いいご縁〟があるようにと願っています。でも、なかなかそういう相手に巡り合えません。まわりの友人たちもどんどん結婚していく中で、このまま結婚できないのではないかと思うと少し不安なんですけれど」

最近は三十代の未婚女性が増えたといわれ、こうした相談を受けることが多くなってきました。

前述したように、人生はすべてシナリオどおりですから、病気をするようになっている人は病気をするし、事故を起こすようになっている人は事故を起こします。これと同じで、結婚するようになっている人は必ず結婚します。心配してもどうしようもありません。

それに「人生をいかに生きるか」ということを考えるなら、結婚というのは二％か三％ぐらいは確かに関わってきますが、九七％は自分自身の生きかたです。結婚が最重要ではありません。問題は、自分がどう生きるかです。

どうしても共に歩んでいきたいとか、支えたいとか、そういう人が現われたら「はい、結婚します」と受け入れてもいいですが、焦って無理に相手を探す必要はないと思います。

二十代の人からは、「男運が悪くて全然いい人に出会わないのですが、どうしたらいいんでしょう」という相談もよくされます。

きつい言い方かもしれないですが、恋人や結婚相手の相談ばかりする人は、結局、男と女のことしか考えていないということです。私は、そういうときは、「ほかに考えることはないのですか？」と聞くことにしています。

恋人のこと、結婚のこと、いい人に出会わないとか、お見合いしたほうがいいですかとか、そんなことにばかり関心をもっているから、お相手が見つからないのではないでしょうか。

「結婚、結婚」と言っている女性というのは、男性の側からしたら、つまらない存在に映っているかもしれません。

そういう自分に早く気がついたほうがいいですし、もう少し高貴に生きるということを選択してほしいと思います。

逆の場合も同様です。「いい女はいないか」といつも探している男性は、女性から見てもつまらない男性に見えてしまうでしょう。

考えることはほかに山ほどあります。「男と女のことなんて考えるのはやめなさい」とは言わないけれども、せいぜい消費税ぐらい。五%でどうでしょうか。

後は、**いかに自分が活き活きと輝いて生きるか**、ということです。こっちのほうが九五%です。その九五%に関心がいく人であれば、男性は絶対、放ってはおかないでしょう。

心がスーッと晴れる〝打ち出の小づち〟⑧——「恋人関係も子育ても秘訣は同じ」

五％くらいが適当なのは、親子関係でも同じです。

「私にとって、子どもは自分の生きがいみたいなものです。子どものやることなすこと気になってしまって、つい干渉しすぎたり、言いすぎてしまったりして、その結果、子どもとの関係がよくありません。どうしたらいいでしょうか」

と聞かれるお母さんがいます。

その子どもの身のまわりを見張っていて、半径二メートル以内の話しかせず、ただ口うるさくて、子どものあら探しをするだけの母親というのは、子どもをどんどんダメにしていくような気がします。

子ども以外のことにも関心を向けてみてはいかがでしょう。

たとえば、歴史の本を読むとか、天文の本を読むとか、動物の本を読むとか、植物の本を読むとか……。

そうすると、話題がものすごく豊富になります。目の前の植物を見たときに「これはハーブ（薬草）の一種でね。心をリラックスさせる作用があって、毒を中和する効果もあるんだよ」などと言えるでしょう。

そんなふうに子どもに話をしてあげると、「へぇー」と植物に突然興味をもって、ゆくゆくは偉大な植物学者になる可能性だってあるかもしれません。

タテヨコ不変

結婚してもいい人・ダメな人

「結婚相手はどんな人を選んだらいいのでしょうか」

「結婚してもいいかどうか、相手のどんなところを見たらよいのでしょう」

よくこんな質問をされます。

もちろん、人にはそれぞれの好みがあります。「嫉妬」という概念ひとつとっても、嫉妬してほしくない人と、逆に嫉妬してほしい人と、好みが一八〇度違う場合もあるわけですから、一概には言えませんが、私なりの「見るべきポイント」がいくつかあります。


基本の条件として、人生の中に「求めているもの」「目指しているもの」が同じ、というのはどうしても必要です。

「求めているもの」「目指しているもの」は大別すると、三つあります。

「もの」と**「地位や名誉」**、そして**「人格向上」**です。

「もの」あるいは「地位や名誉」を目指している人同士なら、相手選びはそんなに難しいことではないでしょう。

「豪華な車や家」あるいは「早く係長になる、早く課長になる」ことなど、「求めているもの」が外からも見えるのですから。

難しいのは三番目、「人格向上」です。別の言葉で「魂磨き」と言ってもいいかもしれません。

「人格向上」（魂磨き）を目指して生きる人は、相手にもそういう生きかたを求めている場合が多いものです。

この場合、何を見て判断すればよいのか、「心」の問題だけに、とても難しい。

「私はこういう人格を目指している」という言葉だけでは、本当に同じ「人格向上」

らの質問でした。

冒頭の質問は、その人格向上を目指している〝第三の相手〟を見つけたい人たちか（魂磨き）を志しているかどうか、わかりません。外からは見えませんから。

そのときの私の答えが、「タテヨコ不変」という基準です。

わかりにくいと思うので、ちょっと解説しましょう。

「タテの不変」とは、十年ぶり、二十年ぶりに会っても、同じ笑顔、同じ親しさを保ち続けるということです。

仮に、二十歳のときに親しい友人であったとしましょう。十年経ち、二十年経ちすると、年齢的にも、社会的にも、それなりの〝立場〟を背負うようになります。

私の高校の同窓生に、県の副知事をしていた男がいますが、いつ、どこで会っても、まったく〝偉そう〟ではありませんでした。

時間を経過していても、友としての親しさは変わらない。これが「タテが不変」です。

自分がどんな社会的〝立場〟を背負っても、〝偉そう〟になったり、〝威張ったり〟

〝横柄になったり〟しないのは、とても大事なことに思えます。

同様に、「ヨコの不変」を考えてみます。

「ヨコの不変」とは、今の自分を取り巻いている人に対し、同じ態度、同じ笑顔を示す、保つ、ということ。相手の立場や身分によって、態度を変えないということでもあります。

目上の人や同僚に丁寧に接しているなら、目下の人にも、出入りの業者（この「出入りの業者」という表現自体が好ましいものではありませんが、あえて状況を鮮明にするために使いました）にも、同じ丁寧さで接したいところです。

「理想のパートナー」三つのチェックポイント

職場で「ヨコの不変」を見ることができる場合はいいのですが、同じ職場でない場合はどこを見ればいいのでしょう。

その場合は、以下の三点から判断するというのが、私の提案です。

ひとつは「車を運転するとき」。

ひとつは「酒を飲んだとき（酔ったとき）」。

ひとつは「財力や権力を手に入れたとき」。


ふだんは静かで穏やかで、平和でおとなしい人が、車を運転すると急に荒っぽくなるとか、シートを倒してひどく横柄《おうへい》な態度で運転するとか、近くの気に入らない車に「ばかやろう」と怒鳴るとか、そうした〝変身〟はかなりあるようです。

しとやかな大和撫子《やまとなでしこ》だと思っていた女性が、急に割り込んだ車に向かってひどい言葉を吐いたので、結婚生活が怖くなって婚約を解消した、という男性もいました。

酒を飲んでまわりにひどく迷惑をかける人が、「酒を飲むと自分がわからなくなる」「何も覚えていない」という場合もあります。

財力や権力がないときは穏やかで親切な人だったのに、それらを手に入れたら急に横柄になった、威張り始めた、というのも、よくある話です。突然の大金を手に入れると使ってしまう、生活が乱れる、浪費する、というのも、同じことでしょう。

いつも心の中に不満を持ち、人に対して、社会に対して、敵意や憎しみ、敵がい心を持ち続けているけれど、ふだんはそれをじっと心の奥底に隠し、なかなか人に見せない人がいます。表に出している人、表現している人はすぐにそれとわかるので、「どこを見るか」も「何を見るか」も必要ないのですが……。

敵意・憎しみや不平・不満を「抑圧」している人、隠している人を、心理学では「抑うつ型」人格と呼びますが、「抑うつ型」人格も、この三つの場面ではかなりはっきりと出てくるようです。

ですから、この三つの場面で人格が変わる、という人の場合は、結婚してふたりだけの生活になったとき、やはり「人格が変わる」と思ってよさそうです。

もちろん、「人格が変わる」というのは、より優しくなるとか思いやり深くなるとか、そういう意味ではありません。

「横暴になる」「乱暴になる」「居丈高《いたけだか》になる」「偉そうになる」「怒る」「威張る」「怒鳴る」「からむ」「嫉妬する」「支配しようとする」といった方向への変わり方です。

三つの場面に共通しているのは「自分の立場が強くなると、今までと違う〝偉そうな人格〟が出てくる」ということでしょうか。

「結婚前にはとても優しい人だったのに、結婚してからはひどい。どうしてこんなに変わってしまったのでしょう。どうすればいいのでしょうか」と相談を受けることが少なくありません。「結婚前に、ハンドルをもたせると人格が変わる、酒を飲ませると人格が変わる、大金をもたせると人格が変わる、ということはありませんでしたか」と質問すると、多くの場合、「確かにそうでした」との答えが返ってきました。

もし結婚を考えようかという相手が、「タテヨコ不変」でなく、「タテ」も「ヨコ」も「大いに変わる」タイプの人であったら、この文章を読ませてみてはどうでしょう。それで気がついて、「自分は変わろうと思う」と言える人はすごい人です。

もし自分が相手によって態度を変えているのに気づいたら、これを機に、「不変」の路線に切り替えてみてはどうでしょう。

「人格向上」（魂磨き）の第一歩は、「〝タテヨコ不変〟人格」から始まるのかもしれません。

心がスーッと晴れる〝打ち出の小づち〟⑨——「業が深い人」

自分が有利な立場や優位に立ったとき、急に態度が変わる（偉そうになる、威張る、横柄になる、尊大になる、傲慢になる、金遣いや言葉遣いが荒くなる、一人ひとりを尊重しなくなる）人は、「業《ごう》が深い」らしいのです。

「業が深い」人は、その「業の深さ」を修正しに（この世に）出てきたらしいので、「業の修正」をしながら、「よろこばれる存在になること」を目指すことになるようです。

第五章

気がつけば、「ツキまくっている人」になっている！

――この世のすべてが味方になる

ツイている人の共通項

投げかけたものは「倍返し」

ある経営者が「私は、ツキを大事にしています」と、私にこういう話をしてくれました。

「自分が昼休みにそば屋に行くと、そのそば屋さんにたくさんの人が来る。自分が食堂に入ると、大勢の人が入ってくる。二時、三時ごろに外回りをしているときに、喫茶店に寄ると、その店はすぐにいっぱいになるということがわかってきた。だから、私は外出先から帰ってくるときに、そば屋や喫茶店に寄らないでまっすぐ会社に戻って、そのツキを自分の会社にもって帰るようにしています」

私はそれを聞いて「今までに倒産したことはありませんか」と尋ねたところ、「実は、二回倒産していて、今も悪戦苦闘しながらやっている。だからちょっとしたツキでもいいから、自分の会社にもって帰りたいと思って、こういうふうにしている」とのこと。

私は、その社長さんに「あなたは、勘違いをしていると思います」と言い、次のような話をしました。

「なぜ、そのツキをたくさんのお店に分けようとは思わないのですか。自分が入る店がすべて流行っていくということがわかったのなら、なぜ、もっと多くのお店に寄って、みんなにツキを運んでから、自分の会社に帰ろうと思わないのですか。

時間的に十軒寄ることができるのなら、十軒すべての店をお客さんで満席にして、それから会社に帰ればいいではないですか。どうして、自分の会社だけにツキをもって帰って、他の店に分けるのをやめようと思うのですか。そこに、もしかして〈ツイてる、ツイてない〉の違いがあるように思います」

その方は、とても頭のいい方なので、この話ですぐに気がついたようです。

ツキとか幸運とかを自分のところに引き寄せたいと願っている人の中には、こうした心得違いをしている人が多いのではないでしょうか。

自分のところだけにツキをもってくるのではなくて、たくさんの人にそれを分けていってはどうでしょう。そうすると、**結果として、自分のところにいちばんいい形でツキは巡ってくる**ものです。

〝ツキまくり集団〟は、〈感謝の心の集団〉

松下電器の創業者、松下幸之助さんが、部屋で二股ソケットをつくっていた時代から数年経って、会社があるところまで大きくなったころの話です。

「松下に入社したい」という就職希望の学生たちを、松下社長が自ら面接していたときがありました。

その面接に来たすべての学生たちに、松下社長はこう質問しました。

「あなたは、今までの人生を振り返って、ツイてきたか、ツイてこなかったか、ラッキーだったか、アンラッキーだったか、どう思いますか」

東大卒や京大卒の人など、優秀な学生たちも来ていましたが、「今まで自分の人生は、苦労が多く不運だったと思います」と答えた人は、どんなに優秀な人でも採らなかったそうです。

「ちょっとラッキーだったかもしれません」という人も採らなかった。

「いやー、私はツキまくってました」「ラッキーの塊でした」「幸運の連続でした」と答えた人は採用したそうです。

のちに、松下社長がその方法で採用した〈ツキまくっている人たちの集団〉が社内の中核を占めるようになった時代、そのころに発売された商品というのは、すべて奇跡的な売れ方をしました。

「自分はものすごくツイてきた。本当に恵まれてきた」と言える人はイコール「感謝をしてきました」という人でもあったのでしょう。

松下電器が驚異的な発展を遂げた理由のひとつには、〈ツキまくっている人たちの集団〉がベースとしてあったのではないでしょうか。

心がスーッと晴れる〝打ち出の小づち〟⑩──「ゼロの現象」

投げかけたものは、倍返し。優しさや手助けというものを投げかけると、自分のところに思いやりや援助という形で二倍になって返ってきます。これが宇宙の大法則、〈投げかけたものが返ってくる〉。

自分にツキがたくさんあると思うなら、そのツキをまわりの人たちに分けることで、その人はもっとツキまくります。

ツキまくっていることをどんどん人に投げかけるように生きていったら、まわりにいる人はみんな笑顔になります。その人自身も笑顔の人ばかりに囲まれるので心地よくなります。

結局、いちばんトクをするのは、その中にいる自分自身です。

すべての現象は、宇宙的にはニュートラル、「ゼロ」なので、「幸せ・不幸せ」「ツイてる・ツイてない」という出来事はないのですが、ただ、今までの人生において、感謝の心が基本にあると、「ツイてる」という言葉が出てくるようになります。

自分以外の人たちの支援によって、人生が成り立っているということが心の中にあると、その人からは、柔らかで温かい感謝の念というものが必ず出ます。

そういう人たちが集団になったときには、やはりものすごいパワーが生まれると思います。

臨時収入がある人・ない人

トイレ掃除のその後

私の中には世の中に何かを伝えたい、世の中を変えたいという気持ちは全然ありません。使命感というのがまったくないのです。

面白い話、面白い現象について「話してほしい」と言われると、友人一人ひとりが大事なので、一応講演したりはしますが、「人間はかく生きるべきだ」という話は基本的に好きではありません。

二十歳のころに、ヘルメットをかぶって、棒きれを振り回していたこともあるので、自分が大人になってからも、だれかに「かく生きるべきだ」などと言うのも言われるのも好きではないのです。

ただ、「こうすると面白いことが起こる」「こうすると楽しいことが起こる」という情報の収集家なので、それについてはかなり詳しいというわけです。

もう十年以上も前から、「自分が使ったトイレを徹底的にきれいにして、汚れを残さない状態でトイレを出てくると、臨時収入があるみたいだ」という宇宙法則を発見し、あちこちで話をしてきました。

ところが、面白いことに「半年間、トイレ掃除をずっときれいにしているけれど、一銭も入ってこないじゃないか」と言ってきた人が、八、九人います。

トイレ掃除をして、お金が入ってきた人にも共通項がありますが、「どんなにトイレ掃除をしていても、お金が入ってこないじゃないか」と言ってきた人にも共通項がありました。

その人たちに共通していること、それは「いくら掃除をしてもお金が入ってこないじゃないか」と文句を言いに来たということ。

この人たちは、トイレ掃除をしたばっかりに、「お金が入ってこないじゃないか」と文句や愚痴を言うはめになってしまったというわけです。

始めからトイレ掃除をしなければ、宇宙に向かって文句や愚痴を言いようがないのに、トイレ掃除をした結果として、文句や愚痴を宇宙に向かって言うことになってしまいました。神さまは上から見下ろしていて、「この人は半年後に、必ず文句を言うんだよね」というのをよく知っています。半年後に言うことがわかっているので、お金は入ってきません。

そして、「トイレ掃除は結構楽しい」「自分自身が楽しんでやっています」という気持ちになった人には、こんなことが起きます。

縁を切って二十年、「絶交」と言われた叔母さんから、突然電話がかかってきました。

「何？」と聞いたら、

「そろそろ私に寿命がくると思うので、あなたに私の遺産を生前に分けておきたい」

と言われました。トイレ掃除を始めてまだ一週間です。

仲違いをしていましたが、向こうから電話をしてきたのですから、ここでケンカをしかけるつもりもありませんし、本人もトイレ掃除をし始めているぐらいですから、性格がマイルドになっています。

二十年ぶりの電話に「ありがとう」と言って、受け入れる気持ちになったそうです。その叔母さんがもって来た小切手が五千万円でした。


こういう話を聞くと、「私も同じようにトイレ掃除をしているのに、私の場合は五千万円ではなかった。二百万円だった」などと言う人が出てきます。

「トイレ掃除をしたら必ず、五千万円の臨時収入があります」などと言っているのではありません。


また、四十代の男性がトイレ掃除をして三カ月目に、突然、郵便局から電話があったそうです。

「使っていない口座がある。二十年ぐらい出し入れがない。精算をしたいので、印鑑をもって来てほしい」

通帳が見つからず、「そんな口座があったのか」と思いながら、郵便局に行ったところ、係の人から「残高が八百万円ほどある」と告げられました。

本人が言うには、

「そんなの忘れるわけがない。八百万円もの大金を忘れるようなリッチな生活はしていない。もし、そんな金が入っていたら、絶対に覚えている」

しかし、本人の名義で、口座に全然覚えのない八百万円が入っていたのです。

自分でトイレ掃除をやっている人は、自分のところに臨時収入がきますけれども、もし奥さんにやれと言って、奥さんがやり始めると、奥さんのところに臨時収入がきます。

もし、子どもにそれを言って、子どもがやり始めたら、子どものところに臨時収入がきます。損得勘定を考えると、家族やほかの人に「やれ」とは言わないほうがいいみたいです。

ある県の土建業界の話です。全盛時よりも、売り上げが三分の一、四分の一になったということで、青息・吐息の状態でした。

その土建業界のまとめ役をやっていた人に呼ばれて、五十人ぐらいの社長さんの前で私が話をすることになりました。

私には、どうやったら受注できるかとか、どうやったら競争に勝ちぬくことができるかとか、そういう話は全然できませんし、その方法も知りません。

そこで私は「トイレ掃除をやっていると、どうもお金と仕事に困らなくなるみたいですよ」という話をしました。

そうしたところ、「総務課にやらせるか」とヒソヒソ声が聞こえてきました。土建業界の人はみなさん、声が大きい。はっきりと聞こえてきました。

それを聞いて、私は言いました。

「総務課にやらせるとか、そう思う人がいると思います。けれど、トイレ掃除は自分でやらなければ、お金は入ってきません。総務課がやると、総務課のその人のところに入ってしまう。トップの社長が自らトイレ掃除をしなければいけません」

講演後、車に乗り込んでいく社長さんのヒソヒソ声が、また聞こえてきました。

「秘書課にでもやらせるか」

全然話を聞いていません。

それ以降、その県の土建業界が浮上した、飛躍的に業績が伸びたという話を聞いていないので、きっと秘書課にでもやらせているのでしょう。

私は、そういう宇宙の仕組みを研究するのが好きです。

では、トイレ掃除をすると、どうしてお金に困らなくなるのか。答えを言います。

「よくわからない」

いいのです、わからなくても。

「どうして、そうなるの?」ということには、私は興味も関心もありません。

「こうすると、こうなる」ということにだけ関心があるのです。それも、「こうすると、こんな面白いことが起こるみたい」「こんなことをすると、こんな楽しいことが起こるみたい」という情報の収集家です。

掃除をしていると、お金に困らない。笑っていると、体はどんどん健康になる。感謝をしていると、感謝をされた相手の人間がみんな味方になってくれる。掃除をして、笑って、感謝をしていると、人生がすごく面白くなる。

私は、そういう話をしているわけですが、中にはこんな人もいます。

「どうして?」

「よくわからない」

「掃除をするとどうして、お金に困らなくなるんですか」

「だから、よくわからないと言っているじゃありませんか」

その「よくわからない」ことが、理解できなければやらないと言う人を私が説得して、理解してもらう必要はありません。その人がやらないと言うのであれば、やらなくて全然かまいません。私はお願いしているのではありませんから。

「笑うことによって体がどんどん元気になって、丈夫になっていきますよ」という話をすると、「じゃあ、笑ったら私の病気は治るんですね」と確認に来る人がいます。

私が保証しなければやらないというのであれば、別に笑わなくてもいいんです。

「笑うと必ず元気になります。病気が治ります」などと私が言えるわけがありません。

すぐそばにいる強い味方

すべてがあなたに「ちょうどいい」

経営の宇宙法則というのはすごくシンプルです。

「従業員が全員、笑顔になるように」と経営者がいつも考えていると、もうそれだけで会社は発展というレベルにどんどんなっていくようです。

お客さまによろこばれるだけではなくて、自分のいちばん身近にいる社員からもよろこばれる存在になる、ということがまず第一歩です。そこから始めない限りは、だれもその会社を支えてはくれないでしょう。

経営者の方に〈お客さまは神さまです〉という考え方は、浸透していますす。ですから、社員に向かって「お客さまに対して笑顔で接しなさい。柔らかな対応をしなさい」とみんな言います。けれど、その社員に対して、優しく穏やかでにこやかに接する社長というのは、あまり多くないみたいです。

社員に対して、社員の向こうにいるお客さまに「笑顔を見せろ」と言う前に、いちばん身近にいる社員によろこばれる会社にすることを考えたほうがいいのです。

また会社の場合は、社員に対してどうしてもノルマというものが出てきますが、ノルマは設定しないほうがいいというのが私の考え方です。

小林正観が考える、絶対に倒産しない会社というのは、倒産しそうになったら、社員が自分の預貯金をもち出してきて支えてくれる会社です。

でも、ノルマ、ノルマで社員を苦しめている会社は、窮地に陥ったとしても、絶対に社員は支えてくれません。

もし倒産しそうになったら、社員のみんなが「自分のお金を出してでも、どうしても支えたい」と思えるような会社にするのが第一歩です。

怒る人と怒らせる人

日本語の〈優しい〉という意味は、正しく説明すると、力の強い立場の者が弱い者のに対して、その権力を行使しないことを〈優しい〉といいます。

社長や専務、人の上に立ってる人が〈優しい〉ということは、自分の強い力を誇示しないということ。強引なもの言いをしたり、怒ったり、威張ったりしないこと。その権力を行使しないことを〈優しい〉といいます。

社長というのは、社員の向こうにいるお客さまに対して、直接的に笑顔を示す必要はありません。

中にいる社員全員を明るくて楽しくて幸せでニコニコしている社員にすることができたら、この社長は、毎日何もしなくてもいい。社員が嬉々として楽しく働いてくれます。社員というのは、いちばん近い味方なわけですから。

経営者の立場からすると、怒りたくないと思っていても、社員が業務に支障をきたすようなことをしたときには、怒らざるを得ないという方も、いらっしゃいます。

友人に社長業の人が少なくないので、いろいろな社長から相談を受けることがあります。みなさん「どうしようもないことを社員がしでかしたときには、怒らなくちゃいけない」と同じように言います。

私はこう答えるようにしています。

「その部下が、とんでもないミスをしたことは事実かもしれない。社長さんが言っていることは一〇〇%正しいかもしれないけれど、そのどうしようもない社員に対して、自分の感情がコントロールできず、すぐ怒ったり、苛立ったりしてしまう……。そんなどうしようもない社長が、あなたなのですよね。その社員とちょうどいい社長なんですよね」

どんな理由があっても、どんなに自分が一〇〇%正しいと思っていても、〈争うこと、闘うこと、怒鳴ること、威張ること〉がもうすでに不正義でしょう。怒った人は、怒った瞬間に一〇〇%間違っていると思います。

〝権力者〟は、絶対に威張ったり、怒ったり、怒鳴ったりしてはいけない。中間管理職である部長や課長に「部下に優しくあれ」と指導・教育できるのは、社長しかいない。

どんな立場でも腹を立てたり、怒ったりしない人を人格者といいますが、その人格者である社長、専務のもとには、その人格に合った、人柄がいいよく仕事をしてくれる社員がくっついてきます。

怒鳴ったり、威張ったり、すごくきつい言葉を使ったり、イライラしたりする人には、その人格に〝ちょうどいい〟社員しか集まってこない。イライラさせる社員しか集まらないのです。

やる気の〝スイッチ〟

人を動かす、人に動いてもらう方法として三通りあります。

ひとつ目は〈強制すること〉。これは英語で〈must〉といいます。〝やらねばならない〟状態へもっていくということです。

もうひとつは〈やる気になってもらう〉。これは、するべきことは全部、自ら望んでしてもらう、しないではいられないという状態です。

〈強制してやらせる〉から〈やる気になってもらう〉というところに至るのは、すごく難しいですが、実はこのふたつの間にもうひとつあります。

それが〈forcing（フォーシング）〉。

これは手品などでよく使われるテクニックです。

たとえば、トランプを差し出されて「好きなものを引いてください」と言われたときに、自分では好きなカードを選んだつもりですが、実は相手の思惑どおりのカードを引かされている、という方法です。

男性が女性をデートに誘いたいとき、「次の日曜日、映画でも観に行かない？」と誘うと「忙しい」と断られるかもしれません。

でも「最近、観たい映画がある？」と聞いてみると、「うん。こんなの観てみたいわ」という話になります。

そこで、「それだったら、確か渋谷の映画館でやっていたと思うんだけど、今度の日曜日に行く?」と誘うと、「あー、いいわねぇ」となるわけです。

相手に選択させているように思わせつつ、実は自分の思う方向へ誘導していく。それを〈forcing〉といいます。

〈forcing〉は潜在的に強制はしているものの、顕在的には相手に選択をさせているというものです。

経営者としては、〈must(やらねばならない)〉で部下を動かすのではなく、その部下を〈motivate(モチヴェイト・やる気にさせる)〉というのがいちばんいいと思いますが、やる気にさせるのは難しい。とりあえずその中間の方法をやってみてはどうでしょう。

もうひとつ例を挙げますと、お客さまから何かクレームがきたとき、その処理のために社員を行かせる場合。

「A社のところへ行け」とか「B社のところへ行け」とか言うよりも、「A社とB社のふたつから、どちらかに行ってくれ」と言うと、本当は強制の〈must〉なのですが、本人には自分で選択しているように思えます。

単に業務命令としてやらせるのではなくて、こうした技法を使えば、社員の意欲ややる気が全然違ってくるはずです。

さて、最終目標である〈やる気になってもらう〉方法ですが、この方法はちょっと時間がかかります。

それは「〈人が生まれてきた意味〉というのは、まわりの人たちからよろこばれる存在になることとなんだ」ということを社員一人ひとりが理解できるように、社長自らが実践してみせることです。

社員に対してひどい言葉を投げかけない、いつも穏やかで、温かくて、〈人によろこばれる社長〉であるということを、まず実践してください。

自ら実践しながら、他にもすごい人の話や感動的な話をたくさん勉強して仕入れておいて、機会あるごとに社員に話してあげるといいと思います。

そうすると、社員は「今まで、いかにたくさんのお客を集めてきて、お金を出させるかということばかり考えてきたけれども、これからはいかにお客さまによろこんでもらえるかを考えよう」という気持ちに変わります。そうなったら、社長はもう何もしなくてもいい。会社は勝手に動き出します。

世界でいちばんヒマな社長

ちょっと変わった人の話をしましょう。旅先で面白い男性に会いました。大学を卒業して就職した先が、事務機の卸問屋のような会社だったそうです。

最初に彼が配属されたのが営業助手のポジションで、コピー機などの事務機器を運んではお客さまの事務所に据え付け、かわりに古い機械を引き取ってくる、そういう仕事でした。

彼の最初の仕事日は土曜日だったので、休日の人がいないオフィスに取り付けに行きました。言われたとおり、事務機を取り付けて帰ろうとしたら、隣にもうひとつ事務機があるのが目に入りました。今もってきた事務機が真っ白でピカピカなのに、隣にあるのは手垢で汚れていて、あまりにも対照的で非常に気になる。

「似つかわしくない」と思った彼は、その古くて汚れたほうの機械を一生懸命ピカピカに磨き上げました。

二台がきれいに真っ白になって並んだのを見て、彼はとても満足したそうです。「うん、これでバランスがとれた」と思って帰ろうとしました。そしたら、この二台のきれいさに対して、床があまりにも汚ない。「すごいアンバランス……」。

そこで、彼は床も磨きました。事務機二台と床がきれいになり、満足して帰ろうとしたら、今度は壁が汚なかった。そこで彼は、壁もピカピカに磨いたそうです。

四カ所もきれいにしたので帰ろうとしたら、何と今度は、窓ガラスが汚ないことに気がつきました。さらにアンバランスだということで、窓ガラスも磨きました。それを全部終えて見渡して「うん、すごくきれいになった」と言って、とても満足して帰ったそうです。

さて、月曜日に取り引き先の担当部長から連絡があって「この事務機を取り付けたのはだれか」「部屋もきれいにしていったのはだれか」ということになりました。

そして、「隣の部署でも事務機を取り換える時期がそろそろきているので、彼にまた来てほしい」と、名指しで頼まれるようになりました。

そういう指名が入った場合は、彼の実績になるのだそうです。

取り引き先の会社から会社へどんどん彼の評判は広がって、次から次へと仕事が舞い込んでくるようになったということでした。

その会社には、八十人ほどの営業マンがいたのですが、彼は何と入社一カ月目にして、ナンバーワンになってしまいました。その後、彼はナンバーワンを三年間続け、そして自分の中で何かつかめたような気がすると思い、退社しました。

そのつかめたものをもとに「自分はこれからどんな仕事、どんな商売をやっても、できそうな気がする」と言っていました。

たぶん、彼は何をやっても成功するでしょう。

彼はイヤイヤ掃除をしていたわけではありません。自分の美意識としてやったことでしたが、それをよろこんでくださる方がいるとわかったとき、彼自身、とてもうれしかったでしょう。さらにやる気が起こってきたのではないでしょうか。

このような話を、社長は社員に、雨、あられ、シャワーのごとく降らせるといいと思います。

ただし、そのときに「お前も、こういうふうにやらなくちゃいけないぞ」というような押し付けをすると、社員は反発してしまいます。社長が自らよろこばれる存在であることを実践し続ける中でお話されると、社員は笑顔で耳を傾けてくれるのではないでしょうか。

何にもしていない社長というのは、実はすごい実践者だからこそ、何にもしなくていい状態になってしまう、ということかもしれません。

〈世界でもっともヒマな社長〉を目指してみてはどうでしょうか。

ありがとうの魔法

「いいこと」が「もっといいこと」を連れてくる

ある会社の重役の方が、「全国に十カ所ほどある営業所を毎日見回りながら社員たちを叱咤激励し、営業成績を上げるために一生懸命やってきたけれども、どうしても月の売り上げが目標額一億円を超えることができない」と嘆いておられました。

その方は、いろいろな経営コンサルタントを呼んだり、税理士や会計士たちのアドバイスを受けてそのとおりにやってみたりと、あらゆる手を尽くしてきたけれども、まったくダメだったとおっしゃるので、私は次のようにお話ししました。

「部下の営業部員の人たちが、夏の暑いときに歩き回っても全然契約をとってくることができなかったとき、『ちゃんとやれ』とか『もっと頑張れ』と怒っていませんか?

もしそうなら、『暑い中歩き回ったのに一件も契約がとれなかったなんて本当に大変だったね、ありがとう。ごくろうさま』と言ってあげてみてはいかがでしょう。

もしかすると、本当はどこか涼しいところでコーヒーを飲んでいたかもしれないけれど、そういう人にも、『ありがとう。ごくろうさま』と言っていると、その人は、最初は『暑いのに仕事なんかしてられるか』と思っていても、次第に切なくなってきますよ」

そういうお話を重役の方にして、これからは怒るのをやめて、かわりにただ「ありがとう」と声をかけることにしたらどうですか、と申し上げました。

三カ月後、またその方にお会いしたのですが、そのときはだいぶ様子が変わっていました。以前はとても恐い顔だったのが、穏やかな雰囲気になり、笑顔になっていたのです。

実は、十年間何をやっても超えられなかった目標額一億円を軽々と突破し、今では毎月売り上げが一億三千万円から一億四千万円ほどにもなったそうです。

「あれから一切、叱咤激励をやめ、正観さんの言うとおりに成績がよくても悪くても、営業部員にただ『ありがとう』と言っていたら、何の苦労もなく売り上げが上がりました。私自身はこの三カ月間、何も仕事らしいことはしていないにもかかわらず、右肩上がりにまだ売り上げが伸び続けています」とのことでした。

さらに、この十年間ずっと体を壊し、ずいぶん食事制限もしなければならない状態だったのが、今はもう何を食べてもいいというほど、検査結果の値が正常になってきたということです。

前述したように、権力や立場の強さをもっている人が、自分より弱い立場の者に対して、権力を行使しないことが「優しさ」です（ちなみに「地球に優しい洗剤」などという言い方は間違った使い方で、人間が地球に対して〝優しく〟できるなどと言うのは、人間のおごり高ぶりです）。

強い立場の者が、弱者の目線に降りていって立場の強さを行使しないことが「優しさ」です。偉そうに上からものを言っていたのでは、言われた人は「自分が立場が上になったら怒鳴って威張っていいんだ」と思うことになり、「優しさ」というものはこの地球上に存在しにくくなってしまいます。

もし、この「優しさ」の概念がすべての人にとって共通認識となったら、子どもたちのいじめもなくなると思いますが、それを言葉だけで説明し、理解させるのは無理です。

強い立場の人たちが優しさを「実践」してみせることが大事でしょう。

心がスーッと晴れる〝打ち出の小づち〟⑪——「信頼関係を深める」

たとえば、催眠術をかけるときにいちばん大切なことは、信頼関係です。

心理学の世界でも「ラポール」の形成（心理学用語で信頼関係を築くという意味）については盛んに研究され、重要視されています。

それは人間の潜在能力を引き出す際にも、重要なポイントとなるのではないかと思われます。

さまざまな研究によると、話す内容や技術の問題ではなく、しゃべり方、声のトーンというものが、どうも信頼関係を築く条件なのではないか、ということらしいのです。
これがわかったら、みなさんはとても楽になれます。

ある保育園の先生が、「大声を出しても全然、子どもたちが言うことを聞いてくれません。どうしたらいいでしょう」と、かすれ声で私に相談に来ました。

私の答えは、

「では、小さな声でしゃべってみてください」

すると先生は、

「どうしてですか。できる限りの大声を出しても全然聞かないのに、小さな声で子どもたちが聞くわけないじゃないですか」

とおっしゃるので、私はただ笑って「小さな声でしゃべればいいんですよ」と言いました。

それでも不満そうにしていましたが、その方は毎日大声を出しているせいでしゃがれ声しか出なくなっていたので、小さな声で子どもたちに話してみたそうです。そうしたら、子どもたちはシーンとして聞いてくれたそうで、「不思議ですねぇ」とおっしゃっていました。

大声で怒鳴っているから、子どもたちは安心してキャーキャー騒いでいるのです。先生が小さな声で話を始めたら、子どもたちは身を乗り出して聞くようになります。

言葉のもつ不思議な力

「打ち出の小づち」を使いこなす

以前、ふたりの女性から、このような相談を受けました。

「二年前に夫が交通事故で、植物状態の寝たきりになってしまった。この二年間は本当にひどい状態で過ごし、『楽しいことなど何もない、神も仏もないものだ』と家族みんなで言い続けてきた。先行きの見通しも何もなく、つらくて悲しくてしょうがない。これから私たちは、どういうふうに生きていけばいいのか。ぜひ、アドバイスしてほしい」

私は、その方に向かって手を合わせて、「ありがとうございます」と言いました。

「どうしてですか？」

とおっしゃるので、次のような話をしました。

ツイている人・ツイていない人

実は私は、この相談を受ける数年前から、宇宙からあるメッセージを頂いていました。

メッセージというと怪しげですが、ひとつの概念がある種のインスピレーションのようにポンと頭の中に宿るのです。

聖書の創世記の記述の中に「はじめに言葉ありき。言葉は神とともにあり。言葉は神なりき」という一節があります。その記述について宇宙から、「『はじめに言葉ありき』とは、発した言葉によって、またそれを言いたくなるような現象が降ってくる」ということをメッセージとして頂いたのです。

実証主義の私としては、そのことを自ら実証しようと、「うれしい、楽しい、幸せ、愛してる、大好き、ありがとう、ツイてる」というような肯定的な言葉をずっと言うようにしてきました。それからは、本当にありがたいこと、楽しいことばかりの毎日になっていて、「ありがとう」と言った数だけ、またその言葉を言いたくなるような現象が降ってきていました。

しかし、残念なことに、唯一どうしても実証に至らない、及ばないものがあったのです。

否定的な言葉を言い続けたら、言った数だけそのようなありがたくない現象が本当に降ってくるのかどうか？　これについては確認できていませんでした。

そういうわけで、先ほどの「ありがとう」とは、「かわりに実証してくださって、ありがとうございます」だったのです。

二年間、「神も仏もないものだ。楽しいことなんて、ひとつもない」と、不平・不満、愚痴、泣き言、悪口、文句を、ずっと家族みんなで言い続けてきた。その結果、いいこと、楽しいことが何ひとつなかった。つらいこと、悲しいことばかりだった。

そういう事実を、この人たちが証明してくださったのです。

悲惨な事故以来、肯定的な言葉を言ったことは、まったくなかったそうです。なぜなら起きる現象がすべて悲しいこと、つらいことばかりだったから。家族みんなが「つらい」「悲しい」と言い続けてきました。そして、楽しいことが何ひとつ起こらなかったのです。

「うれしい奇跡」が、あなたにも〝遠慮なく〟やってくる！

ちょうど私がこの数年間、肯定的な言葉で「はじめに言葉ありき」という宇宙法則を実証している間に、この方たちが否定的なバージョンで、この法則を実証してくださっていたのです。

この方たちのお話を聞くことにより、宇宙からのメッセージは本物らしいということがわかりました。

「否定的な言葉を発すれば発するだけ、また同じ言葉を言いたくなるような、楽しくない現象が降ってくる」ということも実証されたのです。ですから、自分の状況を変えたいのであれば、逆をやればよい。そういう構造になっています。

おふたりにもこれからは、「うれしい、楽しい、幸せ、愛してる、大好き、ありがとう、ツイてる、というような、肯定的な言葉を言うことをお勧めします」という話をしました。

相談に来られたふたりの女性は、奥さんとそのお母様とのことでした。

お母様は七十歳を過ぎてもしっかりしています。奥さんは、病気ひとつない健康体です。しかも、ふたりの子どもは、それぞれ元気で大学へ通っていて、優秀で奨学金をもらっている特待生とのこと。

そして、金銭面でも保険金が満額おり、奥さんはどこにも勤めることなく、生活費も医療費もすべてまかなえている、とのことでした。

このように、一つひとつ挙げていったら、実はものすごく恵まれていました。

ただ未来が見えてこないので、「つらくてしょうがない」と言っているのです。

でも、今のような見方をしたら、ものすごく恵まれているように見えませんか?

ですから、このように申し上げました。

「世の中には、同じように植物状態になってしまった家族を抱えている人は、少なくありません。その中で、あなた方はものすごく恵まれているほうに属すると思います」

恵まれていることに目を向けないで、つらい、悲しいほうへばかり目がいって、「つらい、悲しい」と言い続けた結果、楽しいことがひとつもなかったのです。

私の話を聞いたおふたりは、「そう考えると、私たちは実は恵まれていたということに気づきました」と話されました。

さらに、私はおふたりからもうひとつ、こんな話を聞きました。

毎日のようにご主人のお見舞いに行き、「早く目を覚まして。早く私たちのこのひどい状態を何とかして。あなたが私たちのために働いてくれないと、私たちはどうにもならない」と、二年間ずっと言い続けてきたそうです。

私がもしご主人であったなら、仮に意識が戻っていたとしても、目を覚まさないと思います。そうやって愚痴や泣き言、早く私たちを楽にしてよ、困ったことがたくさんあって……ということばかり聞かされたら、楽しいわけはないし、体中の細胞や脳細胞だって、活性化しません。

そうではなく、たとえば、「三月になって、梅がすごくきれいに咲いていますよ。四月になったら、桜が咲きましたよ。今年は特にきれいですよ。五月はツツジ、六月は花菖蒲、七月はユリ……。そしてだんだんと木々の葉っぱが色づく季節になりました。こんなに楽しいことがあって、きれいな景色があって……」ということを、話して聞かせてあげたらどうでしょうか。

私がもし植物状態になっている人を目覚めさせたかったら、食べものの話をするかもしれません。「七月はモモがおいしい、八月はスイカ、九月はブドウ、十月はナシ、十一月はリンゴ、十二月はミカン……」

さらに「このブドウひとつぶどう?」などとダジャレも言ってみたい。植物状態だから笑わないかもしれませんが、ちょっとだけ笑うかもしれません。ただし、これは意識が戻っていないふりをしていた場合ですが。

愚痴や泣き言を二年間浴びせ続けるのと、「すごく楽しくて幸せ。こんなおいしいものがあったのよ。こんな美しい景色があったよ」と聞かせ続けるのとでは、体と魂に与える影響は雲泥の差があります。ですから、「毎日看護しても、ご主人に向かって愚痴や泣き言を聞かせていたのでは、目覚めるわけありませんね」と申し上げました。

そうしたところ、この人は、

「今まで正観さんの本を読んでいたのに、全然そういうふうに思うことができませんでした。幸も不幸も存在しない。そう思う心があるだけ。問題なんてどこにもないのに、ゼロの現象を否定してきただけだったのですね。もう今日からは、プラスの言葉に変えていきます」

と言って、とても明るい顔で帰って行きました。

その日の夜、その町で講演会に呼ばれていたのですが、主催者の方がこんな報告をしてくださいました。

昼間、相談に来られたふたりの女性を、町の近くの博物館で見かけたそうです。主催者の方がふたりに声をかけると、彼女たちは晴れやかな笑顔で、こう話されたそうです。

「この二年間、どこかへ出かけようとか、何か面白いものを見に行こうかという気になったことはありませんでした。でも、正観さんの話を聞いて、帰りがけに博物館があったので、一時間ほど見学してきました」

手にはお土産をもっていて、「今日はとても楽しくて、よかったです」と言っていたということでした。

今まで観光する気分になったことがないほど落ち込んでいたのに、帰りに博物館に寄って行こうかという気になっただけでもすごいことですが、「楽しかった」と言って帰って行ったというのは清々しい話でした。

実は私たちの発する言葉は「打ち出の小づち」だったのです。

ほとんどの人はおとぎ話の中に出てくる打ち出の小づちなんて、「そんなものあるわけがない」と言うと思います。私もずっとそう思っていました。しかし、本当にあるということが、わかってしまいました。

自分の発する言葉によって、自分に降ってくる現象をつくっていることがわかれば、打ち出の小づちをもっているのと同じではないでしょうか。私たちは宇宙の「打ち出の小づち」を使いこなせるのです。

〔了〕

本書の執筆にあたりましては、弘園社刊「未来の智恵」シリーズ、宝来社刊「笑顔と元気の玉手箱」シリーズを参考にさせていただきました。

すべてを味方《みかた》　すべてが味方《みかた》

著　者――小林正観（こばやし・せいかん）
発行者――押鐘太陽
発行所――株式会社三笠書房
〒102-0072 東京都千代田区飯田橋3-3-1
電話：(03)5226-5734（営業部）
：(03)5226-5731（編集部）
http://www.mikasashobo.co.jp
印　刷――誠宏印刷
製　本――宮田製本

編集責任者　本田裕子
ISBN978-4-8379-2309-1 C0030